出世する人は人事評価を気にしない

平康慶浩

日経プレミアシリーズ

人は学習と経験で成長し
つながりで生きる

「加賀さんが戻ってくること、聞いてます？」

社内で情報通といわれる女性係長の青葉がこっそりと耳打ちしてきたとき、第一営業課長の金剛は（まあそんなこともあるだろう）と考えた。

「いや、まだだけれども。確実かい？」

青葉係長が小さくうなずいた。そのしぐさが周りに気づかれないような小ささだったからこそ、彼女の情報の信頼性は高まった。

「私の同期に、総務係長の那智がいるのをご存じですよね。大阪の社宅契約を解除する手続きをしてるんですが……」

そう話す青葉の顔色はさえない。

「まあ、いい話じゃないか。支店長として出向していたとはいえ、地方の子会社だったろう？　格落ち、都落ちで大変だったんだ。せっかくだし、飲みにでも誘ってやるか。で、どこに配属されるんだ。加賀は企画畑が長いし、伸び悩んでいる第三営業課あたりかな。あそこの課長は役職定年間近だし、ちょうどいい頃合いじゃないか」

「それが……那智は他にも手続きが大変だとこぼしてまして……」

子会社に飛ばされた同期が上司になった日

青葉が言いよどむ。金剛は首をかしげた。

「おいおい。まさか課長代理のままで復帰か？　あの支店の業績回復は、そりゃたまたまかもしれないが、あいつの貢献だって十二分にあるはずだ。左遷人事で結果を出したんだから、それなりのポストに就けてしかるべきだろう。なんなら俺が扶桑部長に直談判してやってもいい」

「いえ……その扶桑部長が体調不良のために休職されるらしく……加賀さんが部長代理として後任になるそうです」

がたん、と机が揺れた。金剛が思わず立ち上がったためだ。座ったままの青葉を見下ろしながら茫然とする。

「まさか……、同期の中では俺がトップのはずだ……」

はじめに

会社の中での出世というものは順当な結果であることが基本ではあるのだけれど、なぜこの人が出世するんだろうということが往々にしてある。

私が見てきた会社でも「なぜこの人が？」ということがたびたびあった。

大失敗をした人。

飛ばされていた人。

極端に部下からの評判が悪い人。

あるいは上司からの受けが悪い人もいた。

でも、今ではその理由がわかる。そんな意外な人ほど、出世した後で成功している。


私の仕事は人事コンサルタントだ。

人事コンサルタントとは、つまり、会社の中の人に関するルールをつくる仕事だ。人事評価制度をつくり、給与テーブルをつくり、賞与の支給基準をつくる。従業員に期待する成長の道のり＝キャリアパスをつくる。キャリアの各段階ごとの教育研修の候補者条件を決定し、教育研修そのものの講師もする。退職金の仕組みを設計し、毎年の評価との連動性を定めたりもする。

今までに130社以上の企業で人事に携わってきた。

従業員20人程度の小企業から1万人以上の大企業まで規模はさまざまだ。業界も多彩だった。グローバル展開している製造業もあれば、政治の動向に連動した建設業もあった。医療機関や介護施設もあれば大学もあったし、県庁や市役所、政府外郭団体の人事制度改革も行ってきた。サービス業も多かった。アパレルやメガネ販売業、食品スーパーに居酒屋チェーンなどの小売・飲食業もあれば、金融関連や人材派遣業もあった。クリーンな会社だけでなく、グレー、というか限りなくブラックに近い会社をホワイトにするお手伝いもしてきた。

コンサルタントは対象とする業界や企業規模を限定した方が専門性が高まるといわれるけれど、専門分野に特化し続けることで成長できることもある。中でも、人のマネジメント、ということに特化していた私は、規模や業界に影響されずにお付き合いする機会に恵まれてきた。

そうして見てきた企業の経営幹部たちとは今もお付き合いがあるのだけれど、若いころ（といっても30代後半から40代くらい）の彼らには共通点があった。

それは、**自分の人事評価を気にしていなかった**、ということだ。

「今年の評価なんて、まあなるようになりますよ」

「去年の評価？　どうだったかな……」

課長や次長というミドルマネジメントの段階から、彼らはそんなことを言っていた。もちろんポーズである部分もあっただろう。私の手元には彼らの評価結果が集まるので、普段の言動と実際の評価結果とを突き合わせる機会もあった。その中には、実際、経営幹部候補としては、意外に低い評価もあったのだ。でも彼らはやはり気にしなかった。

もちろん、評価を気にしていなかった人の中には、会社の中で昇進することなく退職していった人もいる。評価という仕組みは、いくら精緻に設計したところで、最後には人の感情が入る。評価する側の上司が、特定の部下に対して良い感情を持っていない場合には、高い評価はつきづらくなる。会社の中に居場所がなくなることすらあるだろう。

では退職した彼らが「出世」しなかったのか、といえばそうではない。

もちろん大半の人たちにとって出世とは、同じ会社の中で上のポジションへいくことだ。課長から部長、部長から執行役員や取締役、常務、専務、人によっては社長にまで上り詰めることが普通の出世であり、それを目指す人は多い。

しかし今では、出世は社内で昇進することだけを指す言葉ではなくなっている。起業して成功する人もいれば、転職して新たなキャリアを手に入れ、さらに高いポジションを得る人など、バリエーションが増えている。ビジネスの世界を一度離れて学究の道を目指す人もいれば、地域に入り込んでNPO活動に専念し、再びビジネスの世界に戻ってくる人もいる。生き方はさまざまだが、彼らの生き方もまた出世の一つだといえるだろう。

評価を気にせず出世してきた彼らの生き方そのものに学ぶ点が多いことに気づかされた。

私は今独立して、自分でコンサルティング会社を経営しているので、そこで気づいた事実に助けられることが多い。私自身の行動だけじゃない。クライアントの中で今いち伸び悩んでいる管理職に対して、的確な助言をすることができるからだ。

出世している人たちの共通点は、会社の中での人事評価を気にしない、ということなのだけれども、その背景には彼らに共通した行動がある。仕事の進め方、人づきあいの方法、そしてプライベートなどだ。それらの共通点について誰にでもわかるように整理してみようと考えた。それがこの本だ。

もちろん、「私が見た人たちはこうだった」なんていう漠然としたまとめにはしたくなかった。だから会社の中の人に関するルールと運用の実態から解きほぐしてみることがこの本のひとつめのポイントだ。

ふたつめのポイントは、その背景にある企業組織のあり方について、人的資本や社会関係資本、ネットワーク論などの経営学、経済学理論を踏まえて整理してみた。

もしあなたがまだ20代で何の役職にも就いていない状況であれば、私はあなたに人事評価制度を理解して行動することをお勧めする。そうすれば一人前のビジネスパーソンとしての行動が学びやすくなるし、評価もされて、生活的にも心理的にも充実するからだ。２０１２年に出版した『うっかり一生年収３００万円の会社に入ってしまった君へ』（東洋経済新報社）という本にも書いたが、人事評価制度とは、ビジネスというゲームのルールだからだ。ルールを熟知して使いこなせば、もちろんゲームで勝利しやすくなる。

でも、もしあなたがすでにビジネスパーソンとしての基本を習得し、そこそこのポジション（例えば課長）まで来ていれば、ふと立ち止まることがあるだろう。さてこれからどうやって成功を手にしようか、と悩むそのタイミングで参考になるように、この本を書いた。特に会社の中だけで成功を獲得しようとしないのであればなおさら役に立つだろう。人事評価制度は、会社の中のルールだけれど、実はある一定レベル以上の人材に対しては適用されなくなることがある。その秘密を明かしてしまおう。

ぜひ最後までページをめくってほしい。

２０１４年９月

人事コンサルタント
平康慶浩

目次

第2章

第3章 役員に上がるヒントは、ダイエット本の中にある——経営層に出世する人たち

出世のための努力はダイエットに似ている
出世している人たちに共通する二つの行動パターン
つながりから生まれる価値に気づいているか
リストラ担当者はリストラ対象者とのつながりを深めた
取引先とのつながりをないがしろにする人の限界
経営層にみられる〝自分自身に質問をする癖〟
上に行く人たちは「どうすれば?」ではなく「なぜ?」で考えている
「なぜ?」を社員にオープンにして、取締役となった人事部長
経営層になる人は、仕事とプライベートを区分しない
全力で働き続けることでストレスが減る
若き日の社長は「平日は家で食事しない」と恋人に断言した
家族や友人との時間はビジネス上、会議やプレゼンと同じくらい重要である

第5章　飲みに行く相手にあなたの価値は表れる——第二のキャリアを設計する

第7章 「求められる人」であり続けるために
——会社の外にあるキャリア

第1章

評価が低いあの人が、なぜ出世するのか？

「使う側」「使われる側」の壁

大失敗している人、敵をつくりやすい人が取締役になる不思議

結果を出している人。

あるいは、社内で評判のいい人。上司に気に入られている人。

そんな人が会社の中で出世する、と思われがちだ。

でも実際のところは違う。

いや、正しく言えば、課長手前までは「結果を出した人」や「評判のいい人」が出世することが多い。あるいは「上司のお気に入り」が出世することだってある。

でも、そこからは違う。

あなたの周りにもいるんじゃないだろうか。

大成功もしているが、大失敗もしている。一部の人には好かれているが、別の人たちには極端に嫌われている。なのに、部長やその上の執行役員、取締役になった人がいるんじゃないだろうか。

以前、私が人事評価制度の大改定を請け負った売上数千億規模の某企業がある。そこの取締役たちは、まさにそんなタイプの人たちだ。

そのうちある一人は最初、外部から管理職として中途採用された。管理職時代の周りの評判は最高か最低かの極端なものだった。規模もビジネスも違う業界から転職してきて、しかも当時としては珍しい海外畑を歩んできていた。だから、「彼のような人材が新しいわが社をつくっていく」と期待される一方で、「グローバルかぶれ」と陰口をたたかれることも多かった。

彼自身、性格的にも敵をつくりやすいところがあり、上司だろうが部下だろうが議論をふっかけては対立関係をつくり出してしまっていた。ビジネス上の議論で一度対立した後、それと関係ないシーンだからといってその対立関係を忘れられる人は多くはない。外資系だと「ビジネスでの対立と通常の人間関係は違う」という暗黙のルールがあるというが、そんなことはない。外資系だってビジネスで対立すれば、関係にしこりは残る。むしろそのまま引きずる人だって多い。この企業はもちろん日本企業だったので、当然しこりは多く残っていた。

でも、彼はやがて社長になった。彼の性格はきついままだったけれど、悪い評判を広めていた人たちは一斉に口をつぐまざるを得なくなった。

その他、あまり詳しく書くと差し障りが出るので概要だけを記すが、その会社では、他の取締役たちの多くが「挫折」した経験を持っていた。大失敗をして子会社に長く飛ばされていた人が常務取締役。大病を患って、出世競争から外れたと思われていた人が取締役になったりした。執行役員も大勢いるけれど、業績や人柄に波のある人が多い。

なのに、業績はうなぎのぼりだ。株価もどんどん上昇している。

会社生活の中で、〝競争のルール〟は2回変化する

一般的な出世のルールは学問的に理論づけられている。経済学者のエドワード・P・ラジアーがその理論を発表したのは、1980年代のことだ。

ランクオーダートーナメント。トーナメント理論ともいわれるが、それが組織における出世の基本ルールだといわれている。

日本語で要約するとこうなる。

「同じ階層（ランク）にいる人たちで、次の出世順位（オーダー）を競い合う、勝ち抜き戦（トーナメント）」

それが繰り返されて、やがてトップにまでたどり着く。それがルールだ。

なるほど。それだったら別に課長だろうが部長だろうが、競争のルールは変わらないんじゃないか。そう思うだろう。確かに、「誰かが選ばれる」という一点においては同じかもしれない。

でも、選ばれる際の基準が、会社の中で2回、大きく変わる。

最初の昇進基準の変化は、課長になるときに起きる。

あなたがすでに課長になっているのなら、その基準の変化は実感しているだろう。

例えば同期で一番早く係長に昇進した人が、課長のポストを前に足踏みすることがある。その理由が、課長になるときの基準の変化であり、管理職への昇進基準の実態だ。

同期トップで係長になった人を思い出してみよう。彼あるいは彼女が選ばれた理由は、もちろん仕事ができるから、ということではあるだろうけれど、それをさらに具体的に考えてみれば、「仕事が速い」「仕事が正確だ」というものじゃなかっただろうか。もちろん実際はそんなあやふやなものではなく、各社に詳細な昇進基準があるが、総じて主任や係長に早く昇進する人にはそんな特徴がある。

人事制度的に言えば、**一般社員層の間の昇進基準は、今担当している仕事での評価結果に基づく**のだ。平社員から主任、主任から係長に昇進するときなどだ。一般社員の間は、今担当している仕事で、周囲の人たちよりも優れている人が早く出世する。

しかし**管理職になるときには、別の昇進基準が用いられる。**

目の前の仕事で結果を出しても、ある日昇進できなくなる

人事用語で言えば、一般社員の間（主任、係長などを含む）は「卒業基準」で昇進判断がされる。小学校のカリキュラムを終えたから中学校へ、中学校のカリキュラムを終えたから高校へと進む、というのと同じ理屈で、平社員を卒業して主任や係長になる。

しかし、大学は違う。入試を経て、大学生としてふさわしい学力があるかどうかを判断さ

なぜ現場で「できる人」が出世できなくなるのか？

卒業基準と入学基準

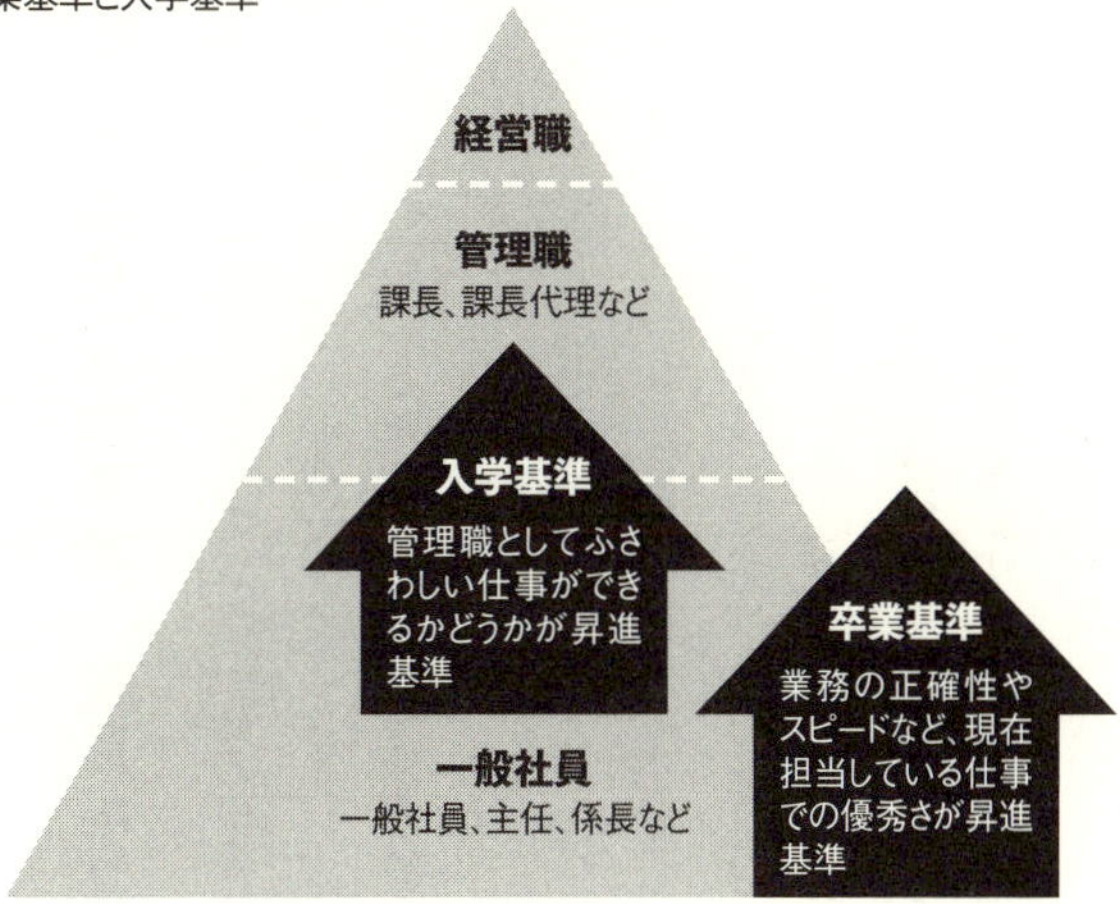

れる。

管理職に昇進するときも大学入学と同じような判断がされる。これを「入学基準」と言う。

拙著『うっかり一生年収３００万円の会社に入ってしまった君へ』（東洋経済新報社）にも書いたが、この時の視点の変化に対応できる人が管理職に昇進しやすくなる。目の前の仕事でいくら結果を出したところで、「上の役職」の考え方ができそうになければ、彼、彼女が出世することはない。一般社員と管理職との間にはそのような壁がある。

管理職への昇進基準やプロセスについて

は、第二章で詳しく説明する。

一般社員の間は「卒業基準」、課長からは「入学基準」

無事に課長になれたとして、その次の出世はなんだろう。課長になれば次長、そして部長を目指す人が多い。いわゆるラインマネジャーとしての出世だ。この時の昇進基準は、同じ管理職層の中だからといって、卒業基準ではない。平社員から主任や係長に昇進した状況とは違うのだ。

20年も昔なら、「彼も課長になって10年になるからそろそろ次長に」という昇進基準を使う会社も多かった。しかし今、そんな基準を用いている会社はどんどん減っている。私の知っている限りで言えば、景気に左右されづらいインフラ企業とか公的機関、意外に保守的なマスメディア関連、あとは中堅以下のオーナー企業の一部くらいだ。

その他の大半の企業では**課長から次長、あるいは部長への昇進基準は、原則として「入学基準」だ。それも課長への入学基準よりもさらに厳しい基準を使う。**その理由はもちろん、課長よりも部長のほうが、担当する職務が高度なので能力も高くないといけない、ということだ。

「職務主義」のもとでは、課長として優秀でも部長にはなれない

さらにもう一つ現実的で、かつ近年増えている考え方が**「職務主義」**によるものだ。この考え方は、上場している大企業などではむしろ当たり前になりつつある。「つまり、優秀な課長が部長になるのではなく、部長の仕事にふさわしい人を部長に据える」という考え方だ。なぜこれが職務主義によって生まれるのかと言えば、「課長や部長の仕事＝職務」をはっきりと定めるようになったからだ。

実は一昔前までは、課長の仕事も部長の仕事もそれほど変わらなかった。単に年次が長い管理職が部長になり、若い管理職は課長だったりした。しかし職務主義のもとでは、課長とは最小の事業ユニット責任者であり、部長とは複数の事業ユニット＝課を束ねて中長期での計画を策定する責任者、という区分を設けたりする。

課長と部長とでは、仕事のレベルだけでなく、そもそもの仕事の内容まで異なるようになったのだ。そこで生まれた考え方が職務主義であり、**人事制度としていうところの職務等級制度**

なのだ。具体的に何かといえば、担当している仕事の大きさによって給与やポストを定義しよう、という考え方だ。

あたりまえだ、と思うかもしれない。でも多くの日本企業ではそうではなかった。「職能主義」があたりまえだったからだ。

"働かないオジサン"を生みだした昭和の「職能主義」

あなたの周りにいないだろうか。管理職、ということになっているのだけれど、肩書は参与とか副部長とか具体的に何をしているのかわからない人たちが。

"働かないオジサン"という概念も、要は誰が何に責任を負うのかわからない組織と人事の仕組みが原因だったりする。なぜそうなっているのか、と言えば実は、今やすでに定年退職ずみの団塊の世代が大きな原因の一つになっている。

団塊の世代が就職して会社で管理職になりはじめる1980年前後に、企業側では大きな問題が生じた。ポストの数が足りないのだ。なぜなら新卒として採用した団塊の世代は人数がとても多い。課長のポストは5つしかないのに、候補者は10人以上もいる。しかし会社は伸びているし仕事は増えていた（大半の理由は人口ボーナスのおかげだったのだけれど）。だから、課長になれない5人にもやってもらう仕事はあるし、モチベーションを高く持って頑張り続けてほしい。そのために、管理職ではないけれども、〝管理職相当〟の給与を払って頑張ってもらう仕組みが必要だった。

それが、「職能主義」であり、職能資格制度だ。当時の日本では常識的ですらあった仕組みだ。誰もその仕組みに疑問は持っていなかったし、経営者だけでなく、多くの従業員にとっても素晴らしい仕組みだった。今なお、職能資格制度を採用している会社は多い。それは、「この人はこれくらいの仕事ができるはずだ」という性善説に近い考え方で人を処遇する仕組みだからだ。

海外に進出した日本企業が「職務主義」にスライドする理由

では今、なぜ職能主義に変わって、職務主義が浸透しはじめているのか。職能主義が性善説だからといって、職務主義が性悪説というわけではない。また、職務主義＝職務等級制度はもともと欧米の概念なので、単純に欧米を真似ているのか、というとそうでもない。人事コンサルタントに指摘されるまでもなく、海外に進出した多くの日本企業が、自発的に職務主義を採用している。

職務主義が浸透しはじめている理由は、ビジネスにおける国境という垣根が低くなっているからだ。それをグローバル化と一言で言ったりもするけれど、グローバルという単語はなんだかあやふやでわかりづらい。国境という垣根が低くなった、という説明もわかりづらいかもしれないが、人やお金や商品が国境を越えて行き来することが増えているということだ。後進国が成長して商売相手になるようになった、とか、先進国内の市場が飽和して伸びなくなった、とか、事情を説明すると長くなるが、要はそういうことだ。

昨日と同じルールでは競えない時代

その影響を受けて、ビジネスのルールが変化している。それがグローバル化の意味であり、より具体的にはこんな影響を指す。

・昨日の競争相手と、明日の競争相手が違う
・昨日のビジネスモデルと、明日のビジネスモデルが違う
・昨日の顧客と、明日の顧客が違う

競争相手もビジネスモデルも顧客も、過去の日本では、国境という垣根で守られていて、何十年にもわたって大きな変化がなかった。しかし国境の垣根が低くなると、まず競争相手が変わる。規制緩和の後押しもあって日本国内の競争関係も変化したし、新たな市場を求めて海外へ進出する日本企業もあたりまえになっている。

競争相手が変われば、ビジネスモデルが変わる。業界一律で確保してきた利益率だって、根本的に発想が異なる相手と競争するなら維持することが難しくなる。それがビジネスモデルの変化だ。

そして顧客も変わる。顧客である人々、企業はより幅広い多様な情報を簡単に入手できるようになったからだ。今まで使っていた商品、今までの取引先よりもさらによい商品や取引先があれば、簡単に相手を選びかえることができる。

出世するほど頭も体力も使わなければいけない

グローバル化とはビジネスが国境を越えやすくなったことであり、その影響は、ビジネスそのものが大きな変化を当然とするようになったということだ。

変化が当然であれば、先見の明と意思決定が極めて重要になる。そこであいまいだった課長や部長、取締役などの役職の内容をより明確に定めて、グローバル化による大きな変化に対応できる組織力を手に入れなければいけなくなった。明日のビジネスが昨日の延長線上になくなり、課長や部長の段階で、明確な意思決定をスピーディに行わなければいけなくなった。

それが、職務主義＝職務等級制度が普及してきている大きな要因だ。

そうして職務をはっきりさせてみると、人生ゲームにおける「あがり」としての出世の仕組みを維持できないことがわかったのだ。

言い換えるなら、**出世するほど頭も体力も使わなければいけなくなった**、ということだ。

業界ごと既得権益で守られてきた時代は過ぎた。

では、究極的に出世した経営者に求められる職務とはなんだろう。

「使われる側」で評価されるスキルと「使う側」に必要な能力は全くの別物

私は新卒で外資系コンサルティングファームに就職した。本社がシカゴにあり、世界中に数十万人のコンサルタントを抱えるその会社は、1990年代当時の日本では数少ない、真のグローバル企業だった。

最近、そこで長年パートナー（共同経営者）として活躍してきた、業界でも著名な某氏と久々に話をする機会があった。

「あの会社の本質ってなんだか気づいていた？」

そう言われて私はすぐに答えようとした。しかし、彼は私をさえぎった。

「シンクグローバル／アクトローカル。シンクストレート／トークストレート。ワークハード／エンジョイライフ。いろいろなメッセージがあったけれど、本質はなんだと思う？」

それらがまさに答えだと思っていた私に対して、彼は口の端を上げた。
「全部ウソだよ。上司に従順な部下をつくること。生活も何もかもなげうって働ける優秀なパーツをつくり上げること。それがあの会社の教育の本質だ。少なくとも、まだ日本に数名のコンサルタントしかいなかった時代に、アメリカ本社で学んだのはそういうことだった。だから私たち初期のパートナーたちは、そのことを君たちに徹底してきたんだ。グローバル企業というのはそういうものだよ。そしてグローバル企業で経営者になれる基準はまったく違う。**優秀なパーツであり続けることが、出世の条件じゃない**」

そうなのだ。もちろん会社の方針がそうだったというわけではないだろうが、彼のように考えていたパートナーがいたことは、私に一つの真実を気づかせてくれた。

課長に代表される管理職までは、経営層に使われる側の立場で出世競争が行われるということだ。

課長までの昇進であれば、人事評価の際に使われるさまざまな基準が出世のものさしになる。それは例えばこんな基準だ。

周囲との協調性があるか。

仕事は正確にできているか。

会議の場で発言できているか。

時間通りに行動できているか。

部下や後輩を教育できているか。

率先して行動し、主張できているか。


チームワークとか責任感とかいわれているさまざまなスキルを身につけ発揮することは、すべて「使われる側」の基準なのだ。組織という機械におけるパーツとしての優秀さ。あるいはそれらのパーツを使いこなす、管理職としての優秀さが評価基準としてあらわれている。

だからこそ、**ノウハウを獲得すれば評価されやすく昇進しやすくなる、と言い換えてもいい**。

ただし、これらはすべて、「使う側」には求められない基準なのだ。変化の激しい時代だからこそ、使う側は、使われる側とは違う、別の仕事をしなくてはならないのだ。

なぜ一流の経営者の多くが理想的リーダー像に当てはまらないのか

もしあなたがグローバル企業か、あるいは現在成長し続けている会社にいるのなら、経営層の行動を思い出してみてほしい。

時間に正確だろうか？（ちゃんと決まった時間に仕事を終えているか？）
協調性があるだろうか？（経営層同士のコミュニケーションは円滑か？）
いつも率先して行動しているだろうか？（行き過ぎた権限移譲はないか？）
部下や同僚を教育できているだろうか？（パワハラをしていないか？）

おそらく、このうちの一部は当てはまっているだろう。けれども、すべてを満たしている人はまずいない。むしろ、わがままで、独善的で、いいとこどりで、パワハラボスな人だって多い。いろいろなところで示される「理想的なリーダー像」を満たしている経営層は驚くほど少ない。

でも、彼らは優秀な経営層なのだ。

もちろん、彼らは「やろうと思えば優秀なパーツとして行動できる」だろう。

でも、トップに立った今、そうすることが彼らの職務ではない。だからそうしない。理想的なマネジャー像を満たしている人が、優秀な経営層として活躍できるわけではないのだ。

「パーツとして優秀な人」の限界

多くの人があこがれる、オーナー系カリスマ経営層たちを見るともっとわかりやすい。例えば自社を成長させたのち他社の劇的な企業再生まで成し遂げた某経営者や、巨大企業集団をつくりあげたカリスマ経営者、数々のM&Aを成功させながら企業価値を高め続けている経営者などを思い出してみよう。私は仕事上、そんな会社の人事担当役員や人事部長と話す機会が多いが、そこで見聞きするスーパー経営者の話にはとんでもないものもある。彼らの行動は、常識の範囲ではとても括れない。「素晴らしい社長なんですが、生まれ変わった後もう一度一緒に仕事をしたいか、と聞かれると言葉につまりますね」という、役員や部長たちの言葉がすべてを物語っている。

経営者たちも、優秀なパーツとしての行動をとっていた時期はある。オーナー経営者であったとしても、立ち上げたての頃は零細企業の社長だからだ。零細企業の社長であれば〝なんでも屋〟で、取引先には頭を下げるし、細かい作業も自分の手で行う。そこで彼らは優秀なパーツとしての結果も出すことができていた。しかし、今では決してそういう行動はとらなくなっている。

ビジネスという仕組みの中のパーツとして優秀であり続けたとしても、経営層になれる可能性はとても低い。

経営層に出世する人とは、パーツとして優秀な人ではない。経営層としての職務を果たすことができる。少なくともそう期待される人が出世する。それは、パーツをつくりあげ、パーツに意味を与える職務だ。それは、その企業がなぜ存在しているのか、という存在意義を問う本質的な職務にほかならない。

だから、**若いころの評価が高い人が出世するわけではなくなってしまう。**

会社が決して教えない、人事評価の本当の意味

人事の現場では、この事実を理解しないまま、幹部候補生を育てようとする企業も多い。「優秀な管理職から」のみ次世代の経営層を選ぼうとする企業だ。部長を優秀な課長から選び、取締役を優秀な部長から選ぼうとする企業だ。でも、そうして選んだ経営層が意外に結果を出せないことも多い。

その失敗は、管理職と経営層とで職務が違うのに、それを理解しないまま、出世させてしまっていることにある。

また、そもそも、経営層はそんなに大勢いらない。

一つの時代、一つの組織に数名いれば十分だ。規模が大きくなれば数十名になるだろうけれど、それでも組織全体の人数の百分の一から千分の一以下でいい。

しかし、優秀な管理職だけれども経営層の職務を担うには不十分な人に対して、「あなたは経営層になれる可能性が低い」と伝えてしまってはやる気をそいでしまう。だから優秀な

経営層は、そのことに気づかれないように、毎年の昇給や、賞与の増減でもって、パーツとしての優秀さを求め続ける。

その仕組みに乗ったままで人事評価を重要視することは決して不幸な道ではないが、気づけばさらに上に行けるのに、もったいない。

では、課長からの出世を目指すあなたは、何を指針にして行動すればいいのだろう。

S　C　E　N　E　1

部長の懐刀と言われ続けてきたけれど

打ち合わせに向いているとは思えない、柔らかすぎるソファに浅く座りながら、第一営業課長の金剛はいらだっていた。営業部長の扶桑の個室は、広くはないが、質の良い調度品で上品にまとまっている。なんでも退任した役員の個室をうまく調整して、自分のものにしてしまったらしい。そんな扶桑の部屋には黒塗りの机があり、その向こうには、数年後には自分が座ることになるだろうと考えていた、革張りのリクライニングチェアがある。

しかしそこには誰も座っていない。

金剛はかれこれ20分も待たされていた。

ソファの前の低すぎるテーブルには、大きすぎるクリスタルの灰皿と、同じ意匠のクリスタルの煙草入れが置かれている。煙草入れの中には、扶桑部長お気に入りの銘柄がいっぱいに詰められている。

金剛は煙草を吸わない。

アメフトで鍛えた体を維持するために、35歳を過ぎた今もさまざまなスポーツを続けているからだ。もちろん定期的なジム通いも欠かさない。誰よりも頑強な体を保っているからこそ、長時間の営業会議でも、ハードな出張の連続でも疲れることはない。部下たちに率先して行動することが金剛の生きがいであり、プライドでもあった。

一方で、扶桑部長は、金剛とは違うタイプの営業マンだった。

正直なところ、金剛は扶桑をバカにしていた。

「あの人の時代は終わってるんだよ」

これが、営業会議後の徹夜飲み会での金剛の口癖だった。バブル華やかなりし頃に景気の波に乗って出世した凡庸な男。それが扶桑に対する金剛の評価だった。

金剛よりも横幅だけは大柄だ。付き合いのゴルフはうまいが、生活の不摂生さは部下から見ていて気持ちの良いものではない。営業会議も金剛に丸投げで、どこで何をしているのかわかったものではない。彼の時代はもう終わるだろう、と部下たちも口をそろえていた。

扶桑の周りにはかつて、彼よりももっと優秀な営業マンが何人もいた。しかし、たまたま受注した大型案件が社長の目にとまり、部長に抜擢されたのが5年前だ。それから営業部は右肩上がりに伸びてきたが、その業績の大半を担ったのは金剛率いる第一営業課だったと自負している。

だからこそ、次の営業部長候補は、金剛以外にありえなかった。

しかし今日、事前に知らされた昇任案では、同期で、子会社に出向していた加賀が、代理とはいえ扶桑の後任になるということだった。

ありえない。

一昨年までの子会社の、特に大阪支店の業績はふるわなかった。そこで本社営業企画課長代理だった加賀が立て直しに送られたのが去年。課長代理から子会社とはいえ支店長、というと一見栄転のようだがそうではない。企画畑はデスクワークが基本だ。そんなところから営業の最前線にまわされるということは、バツをつけるための左遷だ、ということがもっぱらの社内の噂だった。しかし大方の予想に反して、加賀が担当した支店は業績を復活させた。子会社の他の支店が未達だっただけに、加賀が担当した大阪支店の業績は特に目立った。

とはいえ、たかが子会社の一支店の業績だ。

決して抜擢に値するような業績じゃない。

金剛はまだ間に合うと考えていた。

今はそもそも正式な昇進のタイミングじゃない。それに、俺の人事評価は同期で最高のはずだ。だから、加賀が部長代理になるのなら、少なくとも俺も部長代理になってしかるべきだ。

そう意気込んで乗り込んだ扶桑の部長室だったが、ずいぶんと待たされる。ようやく扶桑が戻ったのは、金剛がソファに腰を下ろしてから一時間もたってからだった。

「すまんね。私が出席する最後の取締役会が長引いてね。まあ臨時開催なんだが」

扉を開いた扶桑に立ち上がって文句を言おうとした金剛は、出鼻をくじかれた。

「臨時……取締役会……ですか？」

「ああ。君ももう聞いているだろう。私の肺に影がみつかってね。まだ早期だから命に別状はないということなんだけれど、やはり万全を期したいからね。良い医者に診てもらえそうなんで、渡米することにしたんだよ。だから休職ではあるんだけれど、その直前にアメリカ支社に赴任させてもらえるようになったんだ。無事に体を治して戻れば、次は役員だ」

「な……!?」

アメリカ支社に赴任？ 役員候補？

ありえない言葉に金剛が絶句すると、扶桑が目の前に座った。ケースのふたを開け、深々とソファに体をあずけ、紫煙を吹き上げた。

「まあ、これが吸いおさめだ。痛くもなんともないのに影があると言われても、実感がわかんよ」

「……もっと早くにやめられていたほうが良かったのでは」

「面白くない正論だね。君らしい」

ようやくしぼりだした金剛の言葉に、扶桑が声をあげて笑う。

その笑い方が嫌だ。金剛がそう思ったのを察したように、扶桑が前のめりになった。

「だから加賀くんに負けるんだ」

「な！」

一瞬にして金剛の顔が赤く染まった。思わず立ち上がりかけた金剛を制して、扶桑が煙草を置いた。

「とはいえ、君にはずいぶんと世話になってきた。これからも世話になるだろうから、これから話すことは私からのたむけでもある。チャンス、と言い換えてもいい」

呆然とした金剛の耳に、扶桑の声が届く。たむけ？　チャンス？　何を言っているんだ、こいつは。加賀を選んだのはお前だろう。そうか、こいつは俺がこいつをバカにしていたことを知っていたのか。俺も隠そうともしていなかったしな。聞こえよがしに言っていたことすらある。でも、だからといってなぜ加賀なんだ？　堅物なくせにむらがある。評判だって極端だ。ひょうひょうとしすぎていて同期でも浮いている。そんな奴がなぜ部長候補なんだ？

ぐるぐると思考がまとまらない金剛に、ぐいと顔を近づけて扶桑が口を開いた。

「もともと君は取締役たちの間では、次期部長にふさわしくないと判断されていたんだ。その理由をあらためて考えてみるべきだな。幸い、私が昇進後に空きポストになる営業部長への正式な昇進判断は来春だ。そのタイミングまでは君にもチャンスがある。なぜ君が選ばれないのか、何をすれば課長で終わらずに済むのか、考えてみるべきだ」

第2章

課長手前までは「できる人」が出世する

組織における人事評価と昇進のルール

どんな条件を満たせば、課長から出世しやすくなるのだろう。

最初に説明したように、出世の基本ルールはランクオーダートーナメントだ。となれば、まずは各ランクで出世候補者として名を連ねていて（同じランクにいて）、その中で競争順位を上げることが基本的な行動になる。

昔の日本企業なら、それは年功であり、かつバツがついていないことだった。ただしそれらは最低条件であって、候補になるための必須条件だった。年功基準やバツがついていないことを基準にしている企業はまだ多い。これからもそういう企業は一定割合は残るだろう。

しかしそうでない企業も増えてきている。これればかりは、あなたがいる会社の状況を踏まえて考えなくてはならない。

一方、昇進候補者の中から実際に選ばれる人の基準やプロセスは、表向き、公表されていないことが多い。だからこっそりばらしてしまおう。

人事評価と昇進には、どんな相関性があるのか

その前に、評価と昇進との関係を説明しておこう。

ここで言う評価とは、もちろん人事評価のことだ。年に1回か2回程度実施されるもので、人事評価の結果に基づきさまざまな人事としての処遇が決定する。

典型的には昇給額が決まる。あるいは賞与額を決める場合もある。

人事評価のための方法としてはさまざまなものがあるが、現在の標準的な会社では、目標管理制度による成果評価と、役職や等級に応じて基準を定める能力評価（会社によっては行動評価やコンピテンシー評価という場合もある）の2種類の方法のどちらかを採用することが多い。

昇給額や賞与額が人事評価によって決定する会社は多いが、実は、評価以外にも昇給額を決める要素がある。今は減ってはいるが、年齢がその基準の一つだ。年齢給という要素を持つ会社であれば、年を一つとるだけで、給与が数百円から数千円増える。年齢による昇給額は小さいことが多いが、評価の是非にかかわらず増える要素として導入している企業がある。

それ以外には、家族が増えることで支給される家族手当も、実質的には昇給だ。年齢と同様に、評価によらず決定する給与としては、皆勤手当などもあるが、これらの手当類を廃止する企業も多いので、今もらっている人はそれが常識だと思わないほうが安全だ。

上位ポストになるほど評価と昇進判断はリンクしなくなっていく

さて昇進についても人事評価の結果は活用されるが、後述するように100%完全に評価が反映されるわけではない。なぜなら、人事評価とは「過去を見る」ものだからだ。目標管理制度で高い評価を得た、ということは、目標を達成したという事実をあらわす。それは過去の結果でありたしかに事実だ。能力や行動の評価についても、チームワークを発揮していた、とか、責任感のある行動をとっていた、などのたしかな事実が評価に反映される。

でもそれらの事実が、明日も同じような結果や行動をもたらすのかどうか、というと確実ではない。主任や係長くらいであれば、ポストの数にしばりもない。昇進といってもそれほど給与が増えるわけでもない。だからとりあえず人事評価の結果が良ければ、上の仕事をやらせてみよう、と考えることが多い。だから「卒業基準」が用いられる。

しかし上位のポストになるほど、とりあえずやらせてみよう、という判断はできなくなる。

とりあえず社長をやらせてみよう、なんてことは絶対に起きない。だから、人事評価の結果を踏まえて、別の基準で判断をしはじめる。詳細は後述するが、人事評価がいつまでも使えるわけではない理由がそこにある。

明日の行動は誰にも見えないから、プラスアルファの基準を求めはじめる。それが「入学基準」だ。

会社によっては、評価結果を昇進判断基準として使い続けたい、という要望もあった。そこで人事評価をするときに将来の個人としての成長性や、将来の貢献期待をふくめて評価してはどうか、と考えた例がいくつかある。何社かでそういう検討を手伝ったが、結果としては使われることはなかった。「将来」は誰にも見えない以上、評価の時にどれだけ精緻な基準をつくったとしても、「評価をする側のお気に入りが高く評価される」度合を強めただけだったからだ。

上位ポストになるほど、人事評価と昇進判断とは厳密にリンクしなくなってゆくが、判断プロセスそのものが大きく変わるわけではない。次に、昇進判断の実務的プロセスを説明しよう。

昇進判断の典型的なプロセス

昇進判断のためのプロセスは、どの会社でもだいたい次のような順で行われる。

「滞留年数（後述）の確認」：これをクリアしないとまず候補にならない

↓

「人事評価結果の確認」：昇進候補にふさわしいかどうかのチェック

↓

「昇進テスト類によるふるいおとし」：昇進に際して必要な知識の有無を判断

↓

「小論文確認」：実際には面接時の参考として使う程度

↓

「昇進面接」：各種基準の裏付けおよび人物判断

↓

「最終判断」：経営層などによって○か×かを決定する

このプロセスを簡単に言ってしまえば「候補者を選ぶ」→「ふるいにかける」→「最終決定する」ということだ。滞留年数や人事評価結果の確認は「候補者を選ぶ」ステップだ。そして「ふるいにかける」ために昇進テストや小論文、昇進面接などを行う。「最終的に決定する」プロセスでは、社長の一存で決めることもあれば、役員の合議になる場合もある。外資系だと、役員の誰か一人が最終承認することでOKとする場合もある。

このプロセスは、昇進する役職によって重点が置かれる部分が変わる。その理由は、第1章でも触れた、課長までの出世ルールと、課長から部長までの出世ルールの違いにある。

いわゆる「できる人」が出世するのは課長手前まで

まず、「できる人」が出世するのは課長手前までだ。厳密に言えば課長手前となる課長代理や課長補佐、係長までであり、「できる」ということが卒業基準として評価される。ただし、会社によっては課長に昇進できる場合もある。特に課長という役職に権限が付与されていない「名ばかり課長」が大勢いる会社では、「できる人」が課長にまでなれることもある。

さて、課長手前までの昇進判断ではまず、「人事評価結果」が重視される。さらに、小論文でも面接でも、「効率的な働き方ができているかどうか」が重要視される。本人だけでなく、周囲を含めて効率性を高められているかが判断基準となることが多い。効率性を高められる、ということは、「仕事が速い」ということかもしれないし、あるいは「前例にとらわれない改善をしてきた」ということかもしれない。また、ビジネスのフロントである営業であれば、「高い売り上げをあげている」ということかもしれない。

短期的にわかりやすい結果があれば、課長手前までの昇進審査は通りやすいのだ。

管理職昇進で面接が重視されるようになってきている理由

一方、課長に昇進するとき、課長から部長に昇進する際には、第1章で書いた通り「入学基準」が重視される。

とはいえ、やらせてみるのでなければ、課長や部長にふさわしいかどうかが見えづらい。

そのため、**管理職への昇進の際には「昇進面接」を重視する企業が増えている**（どのような面接が行われるのかは後述する）。

ただ、管理職が明確な権限を委譲されていない会社だと、「卒業基準」を用いる場合もある。その際には、「安定的に結果を出した人」が出世する。課長手前までと同様の「卒業基準」だが、違いを挙げるなら短期ではなく「中長期」で結果を見るようになる。卒業基準として確認するとはいえ、安定した結果を出せるかどうかを見ようとするからだ。また、この段階になるともちろん、個人ではなく、率いている組織としての結果が重視されるようになることも変化の一つだ。

会社によっては、課長から部長に昇進する段階から経営層への選抜が始まることもある。特に機能系部門にその傾向が強い。

機能系部門とは、財務や法務、人事、ＩＴなど、いわゆる全社にまたがる業務を担当する部門だ。機能系部門の場合、部長からそのまま取締役に昇進することも多いが、それは専門性が求められるからだ。ゆえに、部長を選ぶ段階で、「彼・彼女は将来取締役候補となれるだろうか」という最終判断がされることになる。

昇進判断基準とは具体的にどのようなものなのか

昇進判断基準の中身を詳しく説明してみよう。

【人事評価結果】
【滞留年数】
【昇進テスト類】
【小論文】
【昇進面接】

見慣れない用語もあるだろうが、これを機会に覚えてみてほしい（興味がない人は数ページ飛ばしていただいても大丈夫）。

これらの基準を大きく区分してみると、**「過去を確認する基準」**と**「将来を確認する基準」**に分かれる。

例えば「人事評価結果」や「滞留年数」「昇進テスト」「小論文」は過去から現在に至る能力や業績を確認する基準だ。一方、「昇進面接」で確認しようとするのは将来の可能性だ。

「小論文」もテーマによっては将来の可能性を確認する材料になる。

【人事評価結果】

おそらく多くの人が最初に思い浮かべる昇進判断基準はこの指標だろう。過去の人事評価結果が良い人物が昇進する、ということは納得性も高く思える。

では、具体的にはどのように基準として活用しているのだろう。

一例を挙げてみる。

一般社員（ヒラ）から主任への昇進基準

過去3回の評価すべてにおいてB+以上の評価結果を得ていること

主任から係長への昇進基準

過去2回の評価でA以上の評価結果を得ていること

この例では、人事評価の結果をいくつかのアルファベットで決定している。典型的には、「S・A・B^+・B^-・B・C・D」というように。この中で標準的な結果が中間のBであるとすれば、B^+やAという人事評価結果を得ていることが昇進基準になることが多い。

ただ、このように過去連続して良い評価を得ている場合に昇格候補とする、という基準には問題点もある。例えば、たまたま一度でもミスをして悪い評価をとってしまうと、そこからさらに連続して良い評価をとらなくては、昇進できないことになってしまう。「一度の失敗によって何年も昇進が遅れる」ということが起こることになる。

だから、会社によっては次のような昇進基準にする場合もある。

一般社員（ヒラ）から主任への昇進基準

過去4回の評価のうちB^+以上を3回得ていること

主任から係長への昇進基準

過去3回の評価でA以上の評価を2回得ていること

それ以外の基準としては、各人事評価結果を点数化して（S＝5点、A＝3点、B⁺＝2点、B＝1点、B⁻＝±ゼロ、C＝マイナス1点、D＝マイナス3点）、主任への昇進時には3点、係長への昇進時には6点が必要とする場合もある（一度昇進すると点数はクリアされる）。

この例では係長までを挙げたが、課長や部長への昇進であってもとりあえず同じような基準を設定することは多い。

【滞留年数】

人事評価結果よりも優先する昇進基準を持つ企業もある。近年、少なくとも私がかかわった企業では廃止しているが、それでもなおこの基準を用いている企業は多い。それが「滞留年数」だ。滞留年数は、人事評価結果に基づく昇進判断をする前に適用される。

例えば、次のように用いる。

一般社員（ヒラ）から主任への昇進基準

過去3回の評価すべてにおいてB＋以上の評価結果を得ていること
ただし、一般社員として2年間の勤続満了後から基準算定を始める

主任から係長への昇進基準

過去2回の評価でA以上の評価結果を得ていること
ただし、主任として3年間の勤続満了後から基準算定を始める

この例の場合、一般社員から主任へ昇進するには、「滞留年数2年＋B＋の評価期間3回」が必要なので、実質的に入社5年目から昇進のチャンスが得られることになる。会社によっては、この5年（あるいは一度目のチャンスで昇進しないのであれば6年）という数値をもって「標準滞留年数」という場合もある。

なぜ滞留年数という基準があるのかと言えば、人間は習熟すれば成長する、と考えられてきたからだ。今担当している職務を覚えて、満足のいく仕事ができるようになるには最低○○年が必要だろう、という判断だ。最低必要な修行期間、として理解してもいい。言い換えれば、少なくとも今の仕事がちゃんとできるようになってからはじめて出世の階段に上れますよ、というメッセージでもある。

しかし隠れた目的もある。

滞留年数には、社内の年功序列を維持するための機能もあるのだ。どれだけ優秀な新卒が入社してきても、滞留年数という基準がある会社では、先輩を追い抜くことがとても難しくなる。そうして社内の入社年次による序列を維持することで、組織としての規律を守ろうとするのだ。

まだ年功的な昇給が維持されている会社の場合、いくら優秀でも、あまりに早い出世を許してしまうと給与の逆転も起きてしまう。5年目でヒラのままの先輩よりも、3年目で主任に昇進した後輩の方が給与が多いとなると問題がある、と考える企業では、この滞留年数という昇進基準を維持している。

年功主義を維持するための滞留年数基準だが、年功を守るために、さらにこんな使い方をする企業もある。この場合には「最長」滞留年数というが、例示すると次のようになる。

一般社員（ヒラ）から主任への昇進基準

過去3回の評価すべてにおいてB^+以上の評価結果を得ていること
ただし、一般社員として2年間の勤続満了後から基準算定を始める
なお、評価結果にかかわらず、一般社員として8年の勤続を満了した時点でただちに主任に昇進する

つまり、仕事ができようができまいが、長年勤続していれば昇進させてあげますよ、というルールだ。

さすがに最近はほとんど見かけないが、あなたの会社でどう見ても仕事ができない人が課長手前くらいまで出世しているとすれば、それはこの最長滞留年数が設定されていることが理由かもしれない。

【昇進テスト類】

昇進テストを実施する企業もある。公正性を期すために、社外の研修機関が用意しているテストを用いることが多いが、従業員数が多い会社では独自のテストを作っている場合もある。１００点満点で80点以上取得して初めて合格、というように用いる。

なお、昇進テストを行う会社ではもちろん試験範囲やテキストも示される。学校の延長のようにも思えるが、最近では外部研修の受講とセットにして、研修受講結果をテストで確認して、昇進判断に用いる場合もある。

昇進テストに近い使われ方をするものに、資格取得やＴＯＥＩＣ／ＴＯＥＦＬなどの英語力基準がある。いずれも点数で判断できるという点で公正性が高い。特に英語力が必須となるビジネスにおいては、直近６カ月以内での公開テスト受験結果しか使えないというようなことも多い。

その他、昇進時の参考情報として、適性検査を実施する会社もある。ただ、適性検査で不適切な結果が出た場合でもその時点でただちにふりおとすのではなく、参考情報として次のステップに進めることが多い。

【小論文】

管理職クラスへの昇進基準としてよく用いられるのが小論文だ。

「弊社の経営課題を踏まえ、今後3年間で取り組むべき改革について論ぜよ」
「現在所属している部署の問題点を明確にし、改善方法を具体的に示せ」

などのテーマが与えられ、それに対しての回答を審査される。

回答する側としては最も頭を悩ますものであるが、昇進判断をする側としては、実際には予備審査的に使うことが多い。

なぜなら、小論文をまともに審査しようとすれば、少なくとも審査する側の目線が同じでなくてはならないからだ。可能であれば、1人の審査官がすべてに目を通すことが望ましい。そうして点数化したり、評価ランク化したりしなければいけないわけだが、実際はそんな手間をかけられる会社はほとんどない。

私自身が昇進面接を外部者として担当する場合にも小論文の結果が添えられていることが

あるが、「面接時の参考にする」以外の使い道がない、という場合もある。
また、小論文には代筆が可能だという問題点もある。代筆を避けるためにテスト形式で書かせる会社もあるが、審査がまともに行われなければ、やはり「参考にする」以外の使い道がないのが現実だ。

【昇進面接】

一定役職以上の場合には、昇進面接が行われることが増えている（昇進候補者が多すぎると不可能だが）。特にポストが限られていることもあって、部長への昇進審査で面接を重視する会社が増えている。公正な面接を行うために、外部の有識者に依頼することもあるが、その際には〝アセスメント〟形式をとる。明確な面接基準を設け、面接の結果を点数化し、最終判断に用いるのだ。

面接／アセスメント時には5つ程度の判断指標が用意されており、それらの指標ごとに点数をつけ、その合計点で昇進判断を行う。

例えばとある企業では、課長昇進に際してこんな面接基準を用いている。

「**リーダーシップ**：率先して組織を率いることができているか」
「**チームワーク**：周囲と調和しながら働くことができているか」
「**責任感**：結果の成否を問わず、組織の業績を自己の問題としているか」
「**自己研鑽**：現状に甘んじることなく、さらなる成長を目指しているか」
「**部下育成**：部下の行動特性に合わせた指導を行えているか」

これらは下位の役職に求められる行動や能力の基準ではなく、上位役職に求められる行動や能力の評価基準であることが大半だ。係長として素晴らしい行動をとっている人を昇進させるのではなく、係長の段階から課長にふさわしい行動をとっている人を選抜するためだ。人事評価からは見えない「入学基準」としての判断を面接で行っているのだ。だから、あなたの会社の昇進面接基準を知りたければ、上司の人事評価シート（未記入のものでよい）を見せてもらえればわかる。それがまさに昇進のための入学基準だからだ。

昇進面接で面接官は何をチェックしているか

私自身が担当している昇進面接の例を話してみよう（現在も数社で役員／部長昇任の面接官を担当しているので、多少脚色はさせていただく）。

面接に際して、面接官の手元には過去の人事評価履歴、小論文、昇進テストの結果などが並ぶ。それらをもとに、1人あたり20～30分程度の面接を行う。面接官が1人だけということはほとんどなく、2人から3人で同時に面接を行う。もちろんそれは複数の視点でチェックするためと、不正をなくすためだ。

私の場合、面接時に特に気をつけていることがある。

候補者が口にする「思い」を信用しない、ということだ。

何しろ相手は課長や部長、役員に昇進する候補となる優秀な人々だ。普段は多くの部下を従え、コミュニケーションも優れているし、素晴らしい実績も持っている。だからこそ昇進面接官の前に座るわけだ。彼らに対して、「もしあなたが昇進したあとで何をするか、抱負を聞かせてください」とか、「自分の長所と短所を簡単に教えてください」なんて聞いてみても、非の打ちどころのない素晴らしい答えが返ってくるだけだ。

では、どうやって昇進審査をしているのか。

あなたが私の前に座らないことを祈りつつ、ネタばらしをしてみよう。

私が昇進面接の現場で、必ずたずねる問いがある。

「あなたの自慢話をしてください」

そう尋ねると、99%以上の人が、「いや、特に自慢することはないんですが……」と言いつつも何かを話しはじめる。アイスブレイクとしての質問だと思う人もいるのだろう。

目の前にどんな困難があったのか。

困難に立ちはだかられたときにどう思ったのか。

何をどうしてその困難を乗り越えたのか。

それらを控えめに、かつ有能感にあふれた形で話す姿はたしかに昇進候補者としてふさわしいものだ。それらを聞きながら、面接官としての私はメモを取る。

そして次の問いを投げかける。


「なるほど。ではその時○○という行動をとったのはなぜですか？」

「その行動をもう少し具体的に教えてください。どんな順序で何をしましたか？」

「行動のあと、さらに何かする必要が生じたと思うのですが、何をしましたか？」

「思い」ではなく「行動」に能力は表れる

実は、最初の問いはアイスブレイクでもなんでもない。いきなり本質的な質問をしているのだ。あなたが何をしてきた人なのかを教えてください。そう尋ねているのだ。

思いを聞く気はない。行動だけを聞きたいのだ。


困難を困難と把握するために何をしたのか。

困難を乗り越えるために何から始めたのか。

どんな順序で何をしてきたのか。

その行動から、昇進候補者にリーダーシップがあるのか、チームワークを保てるのか、責任をとれるのか、成長のための自発的活動ができるのか、という判断基準の裏付けを探していく。

裏付けがとれる行動を聞けなければ、さらにどんどん質問をする。

職務経歴書を見ながら、「この時何をしましたか」とたずねる。

目標管理シートの結果を見ながら、「この目標を達成するために部下にどんな指導をしましたか。具体的にどんなことを言いましたか」と聞く。

小論文の内容を踏まえながら、「この小論文を書いたのはいつで、それはどんなシチュエーションでしたか」と、内容ではなく、書くためにとった行動をたずねることもある。

なぜそんな質問をするかといえば、**とった行動に嘘はつきづらい**からだ。

何を考えたのか、という質問には簡単に嘘で答えることができる。こんな答えが望まれているのだろう、ということがわかるからだ。

でも、行動の正解はわかりづらい。

本当にそうしていないのであれば、想像で一つ正解を答えられたとしても、次には間違ったことを想像して話してしまう。本当に経験した行動しか、筋道立てて話せないものなのだ。

なぜクレーム客に直接足を運んだ課長を昇進させなかったのか

例えば、こんな昇進候補者の答えを聞いたことがある(もちろん詳細は省く)。

「自慢、というほどではありませんが、常に顧客満足を高めることを意識してきました」

「具体的には?(顧客満足を高めるための行動が聞けるだろうか?)」

「理不尽なクレームをおっしゃるお客様がいました。担当者では対応しきれなくなったので、私が直接出向きました。そして、当社としてできる範囲の中で、私個人の裁量で誠意をもって対応し、満足してお帰りいただきました」

私はこの人を落とした。私と一緒に答えを聞いていたもう一人の面接官も同様だ。基本的に面接官同士は採点前の意見交換はしないが、採点後の評価基準すりあわせは行う。面接は一日では終わらないことが多いからだ。そのすりあわせで、もう一人の面接官と私の見解は同じだった。

もしこの人が主任や係長への昇進候補者だったら通しただろう。あるいは課長昇進候補者でも、通したかもしれない。

でも、この人は部長昇進候補者だったのだ。

私が下した判断は【顧客満足を〝高所から〟実現する行動がみられない】【部下に対してクレーム対応を指導する行動がみられない】というものだった。

彼は、私たちにどう答えるべきだったのだろうか。

そもそも、部長候補になるレベルの人が、昇進面接の場で、一顧客への対応を答えたこと自体が間違っている。それは、部長手前の役職に就いているにもかかわらず、部下を育てることができていない、と証明しているようなものだからだ。

ちなみにこの部長候補者は、直近3年ほどの人事評価の結果が素晴らしく高かった。そして、私たちが落としたとき、人事部門からあらためて確認すらあった。

「○○さんが落とされるなんてありえない、と現在の部長がクレームをつけているんですが……」

私は答えた。

「その部長にアセスメントをしたほうがいいですね。あるいは、これは想像でしかありませんが、その部長はマネジメントの仕事をしていないんじゃありませんか？　アセッサーの私たちに確認するのもいいんですが、その部長の部下たちに、三六〇度評価的なヒアリングをしてみてはいかがでしょう」

結果として、その部長が更迭された、ということはなかった。ただ、彼が（私たちが落とした）部長候補者を高く評価していた理由は判明した。その部署はどちらかと言えば閑職で、優秀な人材があまり回ってきていなかった。だから部長は、とにかく頑張ってくれている人を高く評価していたのだ。そして自分が定年するまでに、頑張ってくれている彼を部長に就けてあげたかったのだ。

そんな気のまわし方は不要だった。閑職であれ部長ポストに昇進したい人は、他の部署にいくらでもいたからだ。それに自部署を閑職にしてしまっていたのは、ほかでもないその部長自身のマネジメント力不足だったのだから。

やがて部長は年齢通りに退職し、私が落とした部長候補者は別の部署に異動した。私は今でもその会社で部長昇任アセスメントを担当しているが、その人はいまだに面接候補に挙がってくることはない。彼を成長させるためにアセスメント結果のフィードバックもしたはずなのだが、もしかすると彼は、大所高所からビジネスをマネジメントするより、直接顧客対応をしたい人なのかもしれない。それはそれで、悪い選択肢ではない。

「金剛さんはやりすぎたんだよなぁ」

第一営業課係長の北上が中ジョッキを置く。隣で体格のいい入社3年目の部下の村雨もうなずくが、同じく第一営業課係長の青葉が首を振った。

「何がやりすぎなの？　課長はいつも業績をあげるために、先頭に立って全力だったじゃない。ちょっと不遇になったからといって、あたしたちが金剛課長を応援すべきじゃないの？　そうじゃないわけ？」

柔らかい表情は笑顔。でも言葉は厳しい。北上はメガネの奥で顔をしかめた。

「あおちゃん、うぜ」

「うざいのはあんたよ。上司が出世競争に負けたからって、いきなり愚痴ってどうすんのよ」

「俺が言いたいのはさぁ、これからは、加賀さんの時代、ってことなわけよ。そのためにも金剛さんを切り捨てなきゃダメ、ってことなわけよ。わかる？　あおちゃんはそのへんの社内政治わかる？」

「あ、あたしだって、そのくらいわかるわよ。あたしが言いたいのはそうじゃなくって、社内政治で、昨日までほめてた上司をけなすあんたの性根が気に食わな

S C E N E 2

部下たちの会話

いってこと」

「サラリーマンですからねぇ」

となりで村雨がうなずきながら口を開く。

「たしかに、僕の同期は先月退職しましたし、1年下の後輩は来月退職するんで、もう有給消化に入っています。第一営業課の体育会系社風についていけないから、ということが理由だと聞いています。金剛課長がやりすぎ、ということはあるかもしれません」

「かてぇな、硬すぎだよ、むらっち」

「自分はこういう話し方しかできません。体育会系ですから」

「そういえばあんた、金剛課長の大学の後輩だっけ?」

青葉の言葉に村雨がうなずく。

「はい。大学と、アメリカンフットボールクラブの後輩です。ポジションも同じ、クォーターバックを務めていました」

「あんた、さっき北上の言葉にうなずいてたじゃん。金剛課長を否定してんの、肯定してんの。どっちよ」

S C E N E 2

部下たちの会話

「自分は体育会系ですから。尊敬する金剛先輩の指導にあずかれることは光栄です」

「だからどっちなんだよ」

係長2人の言葉に村雨は表情を硬くした。

「第一営業課の体育会気質についていけない連中がいることは事実ですが、自分としてはそれは気になりません。それに金剛先輩のことはいつも尊敬しています。ただ、自分がボールを持ったときに誰に渡すべきか、といえば、それは確実に走ってくれるランニングバックです。その人が加賀さんであればそうすべきですし、金剛先輩もそのことについて異論は持たれないかと思います」

ふん、と青葉が焼酎ロックをあおった。

「体育会系ってのは、要はこうもりなのよね。勝てば官軍、が本質じゃない」

「勝つことが目的ですから。どこかおかしいでしょうか」

「全部よ、全部。あたし的には、金剛課長を立てて、金剛課長にボールを渡して、金剛課長に勝ってもらおうとするのが普通なのよ。なのにあんたら体育会系は、会社が勝てばいいっていうんでしょう!」

「だからその何が悪いんですか？」

「あぁーもう！　きたがみぃ！　あんたの教育なってない！」

「いやいやいや」

　首を振るメガネに、青葉は気をもんだ。

「あおちゃん、考えてみなよ。金剛さんはたしかに俺たちの上司だし、これからもそうだろ。でもさらにその上司になるのは加賀さんなわけよ。加賀さん、といえば、わかるでしょ。ほら」

「なによ」

「頭脳派でちゃらんぽらん」

「金剛さんと正反対だわね」

「そうそう。だから、金剛さんの体育会系スタイルのままだと、嫌われるかもしれないじゃん。今のうちに、体育会系気質は取っ払っておいた方がよくない？」

「だからその考え方が嫌いって言ってんでしょ」

「いやいやいや。もう少し考えてみなよ。たしかに金剛さんのスタイルで俺たちは成績をあげてるよ。でもどれだけの部下が戦線を離脱した？」

S　C　E　N　E　2

部下たちの会話

北上の言葉に、青葉もつまった。さっき村雨が言ったような退職を選ぶ者はそれほど多くはないが、転属希望はひんぱんに見る。特に青葉の下に配属された女性社員3名の全員が転属希望を出していると知ったときにはショックだった。

「ぶっちゃけてしまえばさ、俺だってうつになったときがあるわけよ。毎日毎日24時間は戦えませんよ。だから、金剛さんの上に加賀さんが来るんだったら、さっさとそっちのスタイルに合わせた方が、俺たちや部下たちにとっていい結果になるんじゃない？」

「それは……」

口ごもる青葉に目を合わさず、北上はもう一度、中ジョッキをあおった。

「金剛さんの時代は終わったんじゃない？　ほら、よく金剛さんも言ってたでしょ。『扶桑さんの時代は終わった』って。次は金剛さんが終わる番が来ただけだよ。そう思わなきゃ」

第3章

役員に上がるヒントは、ダイエット本の中にある

経営層に出世する人たち

管理職止まりの人と経営陣になる人は何が違うのか

会社の中での出世の頂点は言うまでもなく経営層だ。取締役や執行役員といった役職に就くことができれば、定年が60歳じゃなくなる企業も多いし、給与も格段に増える。

そんな経営層に出世するルートは大きく二つある。

一つは、社長を代表とする、ゼネラリストとしての出世。

もう一つは、財務担当取締役や情報システム担当取締役に代表される、スペシャリストとしての出世だ。

このうち、スペシャリストとしての出世ルートでは、部長時代までの高い評価がそのまま生きてくることもある。スペシャリストには「卒業基準」が生きることがあるのだ。

ただその場合でも、管理担当取締役のポジションの手前には、財務経理部長、総務人事部長、法務部長など複数のポストがある。例えばこの3つのポストから、誰を次の管理担当取締役に選ぶか、という局面では、やはり「入学基準」での選抜が行われる。

その時の基準は、なんだろう?

一般社員から管理職になるときの入学基準は、「管理職としての行動ができるかどうか」「管理職としての職務を果たせるか」だった。言い換えれば、「一従業員の視点から、組織をマネジメントする管理者の視点に変われるかどうか」が判断基準になっていた。

管理職の中で、課長から部長へと昇進していく際にも、入学基準が使われている。だから、上位の職務にふさわしい人が昇進していく。ただしその変化は、入学基準であるとはいえ、それほど大きくはない。課長と部長の職務の違いはあるが、いずれも「使われる側」であることには違いがないからだ。

しかし、**管理職から経営層になる際には、極めて大きな視点の変化が必要になる。**

いくつかの事例から、その変化を見てみよう。

〝三羽ガラス〟のうちなぜ企画部長が抜擢されたか

ある会社に３人の部長がいた。Ａ氏は企画部長、Ｂ氏は営業部長、Ｃ氏は管理部長で、〝三羽ガラス〟といわれていた。３人とも優秀で、全員が将来の経営層候補といわれていた。

やがて新経営体制が発表され、たしかに３人ともが取締役になった。この時の昇進判断基準は、実は卒業基準だった。その証拠に、部長から取締役になっても彼らの仕事は大きく変化しなかった。

しかし2年後、A氏だけが常務に昇進し、その後社長になった。B氏、C氏は平取締役として退任した。

A氏とB氏、C氏の違いはどこにあったのだろう。

B氏はたしかに優秀な営業部長で、営業という仕事に誇りを持っていた。営業こそが企業の本質だと考えて行動していた。

C氏は管理部門にしか興味がなかった。「B氏がアクセルだとすれば、自分はブレーキだ」と公言していたし、B氏とC氏の2人がいれば、たしかに会社はうまく機能していた。

しかし、A氏だけが、会社の存在意義を常に考えていた。

今のビジネスを継続していて、会社は生き残れるだろうか。

そもそも、この会社の強みはなんだろう。

どんな顧客に、どんなサービスを提供する会社であるべきだろう。

競合他社はどこにいるのだろう。

今、目の前の競合他社だけを見ていてよいのか。

予想もしない業種からの参入はないか。

あるいは、予想もしない業界にわが社が参入することはできないだろうか。……

会社が順当でない時期には「卒業基準」は重視されない

実際にA氏が取締役から常務に昇進したタイミングは、業界が一気に冷え込んだときだった。前任の社長は最後の仕事として、大リストラを敢行した。その時に3人のうち、A氏だけが前社長と同行し、一人ひとりに退職面談を実施し、辞めてもらわなければいけない人と、残ってもらわなければいけない人を選別した。

会社を再び成長路線に乗せるのであれば、B氏を社長に据えるべきだ。

会社をスリム化して体力を回復させるのであれば、C氏を社長に据えるべきだ。

しかし選ばれたのはA氏で、その準備のための常務昇進だった。それは、常識が変わった時代だからこそ、前例にとらわれず、あるべき方向を示せる人物だということだった。

実際のところ、世の中が順当に成長している時代であれば、経営層も順当に選ばれる。変化の少ない時代なら、卒業基準を出世の基準にした方が間違いが起きない。しかし、今は変化が前提の時代だ。成長と衰退とが普遍的に存在している。そんな時代だからこそ、組織のありようの本質にまで思いを巡らせ、行動することが必要だ。

これは、組織全体を率いる社長にだけ求められるものではない。卒業基準で判断されることが多いスペシャリストとしての経営層においても、本質が求められるようになっている。

なぜデザイン担当役員に抜擢されたのか二流デザイナーは

例えばデザイン部門もスペシャリストが役員になることが多いが、私が見た例では違った。ある会社でデザイン担当役員に就任したD氏は、デザイナーとしてのスキルが高いわけではなかった。だから彼が新任役員として抜擢されたとき、彼にデザイナーとしての活躍は期待されていなかった。彼に期待されたことは、デザイン部門を顧客に受け入れられる素晴らしい商品デザインを生み出す組織に仕立てることだった。

実は彼はデザイナーとしてのキャリアはそこそこに、新たな専門性としてマーケティングを習得していた。そして彼はマーケティングスキルを駆使しながら、現在求められるデザインと、これから市場をつくり出すべき挑戦的デザインとを区分した。それぞれのデザインを作り続けるための人員を刷新し、彼らに結果責任とチャレンジする権限を与えた。

今、その会社では、新しい商品ラインアップが爆発的に売れ続けている。また既存の商品群も古い顧客を呼び戻し、安定的収益源として生まれ変わった。

仮にD氏がデザイナーとしての専門性を高め続けたとして、彼が役員になることはできただろうか。二つの意味でそれは難しかっただろう。

第一に、D氏はデザイナーとしては二流だった。彼は自虐的にこんな話をしていた。

「僕がつくったデザインで、完全に僕のオリジナルなんてないんですよ。どうしても、どこかで見たようなものばかり。オリジナルをつくれることが才能だとすれば、僕には才能はなかったんですよ」

第二に、デザイン部門をデザイナー出身者に任せると、ダメになる、ということが当時の他の経営層の共通判断だった。だから仮にオリジナリティの高いデザインができるセンスを身につけることができたとしても、その人物はスペシャリストとして処遇されはするが、出世はできなかったのだ。

彼はデザイナーとして評価されることをあきらめて、それよりもデザインの先にある商品の本質に思いをめぐらせたのだ。その結論としてマーケティングを学び、まったく異なる業界の商品に学び、ビジネスモデルを学んだ。デザイン部門内では決してA評価をとることができなかった彼が、結果として一番出世することになった。

「マネジャー」と「リーダー」の職務の違い

変化が当然の時代だからこそ、経営層に求められる職務が変わっている。一番仕事ができる出世頭が、必ずしも経営層になれるわけではないのも、それが原因だ。

では、その職務とはどういうものだろう。管理職と経営者との違いとして理解するために、マネジャーとリーダーの違い、として考えればよいのだろうか。

例えば、経営学者のジョン・P・コッターはマネジャーとリーダーとを明確に区分している。彼の定義によれば、マネジャーとはマネジメントを行う職務だ。そして、「マネジメントとは計画策定、予算策定、職務設定、人材配置、業績測定や問題解決を行う、プロセスであり、将来予測をしながら組織を率いていく職務」[1]だと説明している。

また、リーダーシップについては、「組織を未来に連れていくものだ。訪れる機会を素早く発見しながら、うまく活用する力だ。リーダーシップはビジョンについてのものであり、人々に力を与えることで、素晴らしい変革をもたらす職務」[2]だと定義している。

このようなマネジャーとリーダーの違いを定義する学者は多く、ゼイレツニックやケッツ・ド・ブリースなどもその違いを強調している。このように定義すると、管理職とはマネジャーであり、経営層とはリーダーである、と考えることができそうだ。

でも、本当だろうか？

1　ジョン・P・コッターのブログより（http://blogs.hbr.org/2013/01/management-is-still-not-leadership/）
2　同ブログより

同じ経営学者でも、マネジメントとリーダーシップとを区分しない人もいる。ヘンリー・ミンツバーグがその代表だ。彼の見解は、「マネジャーはリーダーでもあり、リーダーはマネジャーでもある」[3]という言葉に集約されている。そしてさまざまな企業の現実を見てみると、ミンツバーグの見解の方が正しいように見える。できるマネジャー（管理職）はリーダーシップも発揮しているからだ。

管理職への昇進基準でも、リーダーシップは重要な項目だ。課長から次長、部長に昇進する判断をする際にも、ほとんどの企業にはリーダーシップの項目がある。

近年では、マッキンゼーのようなコンサルティングファームだけでなく、多くの企業で新卒採用基準にリーダーシップを用いる例すら増えている。

だから重要なことは、経営層の職務とはリーダーシップを発揮することだ、という単純化ではない。経営層の職務にはもちろんリーダーシップの発揮は含まれるが、マネジメントだって重要だ。時と場合によっては、自ら手を動かす、スペシャリストとしての職務も求められる。

リーダーシップとはビジネスパーソン全員に求められる普遍的行動であり、経営層だけに求められる特質ではない。わざわざ取り上げて定義すべき職務でもないのだ。

そして、**現実的に経営層への昇進判断がされる際には、リーダーシップもマネジメント力も専門性も、そのどれかが特別に重視されるということはない。**

では、経営層の職務とはなんだろう。正直、その答えを明確な言葉で定義することは難しい。その証拠に、多くの企業で、経営層への昇進判断基準は概念的だ。そして明文化もされていない。候補者名があがると、現在の経営層がそれぞれの記憶を思いだし、是か非か意見を表明する。それらが集約され、合議で決定することが多い。

とはいえ、明確な基準をつくっている企業がないわけではない。その際には、リーダーシップという、新卒から経営層まで広く用いられているあいまいな概念ではなく、より詳細な定義を行う。そんな事例を示してみよう。

3　ヘンリー・ミンツバーグ（2011）『マネジャーの実像』日経BP社

経営層を選ぶ5つのアセスメント基準

ある会社向けに策定した、経営層昇進基準がある。

その会社では、小売業を軸として、複数の関連する事業を数多く立ち上げていた。同じ流通網を使って別の商品を売る業態をつくったり、商品を販売する別のチャネルをつくったり、エリアを一気に拡大したり、対象顧客を絞り込んで商品ラインナップを特化させたりと、まるで戦略企画の事例集のような事業展開を続けていた。

チャンスがあれば果敢に投資し、新規事業として立ち上げる。3年から5年の経過を見て、さらなる投資か撤退かを判断する。そんなサイクルを同時にいくつも回していたのだ。

チャレンジングな事業活動に合わせて、新規事業を任せられる経営層は何人いてもよかった。そこで、特に成功している数多くの経営者の行動特性を分析し、次のようなアセスメント基準を設定した。

◇経営層への昇進基準

【ビジョン】「何のため」を説明できているか
【戦略性】現在をどのような機会としてとらえているか
【勝利へのこだわり】担当する領域で勝つことを常に意識しているか
【ビジネスモデリング】収益を生み出すビジネス構造をコントロールしているか
【人材マネジメント】部下に職務と動機を与え自発的に行動するようにしているか

これらはいずれも、リーダーシップを構成する要素としても定義できるものだ。しかしあえて細かく定義することで、この会社での「リーダーシップの意味」をわかりやすく示せるようにした。

ちなみに、この会社での管理職昇進の判断基準としては、次のようなものを用いていた。

◇管理職への昇進基準
【課題認識】現状の課題を明確にして示すことができているか
【目的達成】与えられた目的を確実に達成する力があるか

【数値管理】目標の達成や業務の効率化について数値で示し、コントロールしているか
【部下育成】部下や後輩に任せる仕事を明確にして、指導できているか

経営層への昇進基準に比べて限定的な内容であり、かつレベル感が異なっていることがわかるだろう。

例えば、経営層であれば【戦略性】として示している基準を、管理職だと【課題認識】としている。経営層における【勝利へのこだわり】は管理職の【目的達成】だ。同じように【ビジネスモデリング】は【数値管理】、【人材マネジメント】は【部下育成】となっている。それらすべてを束ねる軸としてさらに【ビジョン】を設けている。

似て非なるこれらの基準の根本的な違いは、「視点の高さ」の違いでもある。前述したように視点の高さの違いとは、すなわち、「使う側」と「使われる側」の違いということだ。

ここに挙げた例のように、昇進基準を明確にしている会社は少ない。会社によって基準は異なることも多い。しかし少なくとも、勝利にこだわらない事業責任者はありえないし、目

役員になれるかどうかは「視点の高さ」の違いで決まる
ある会社の管理職・経営陣の昇進基準

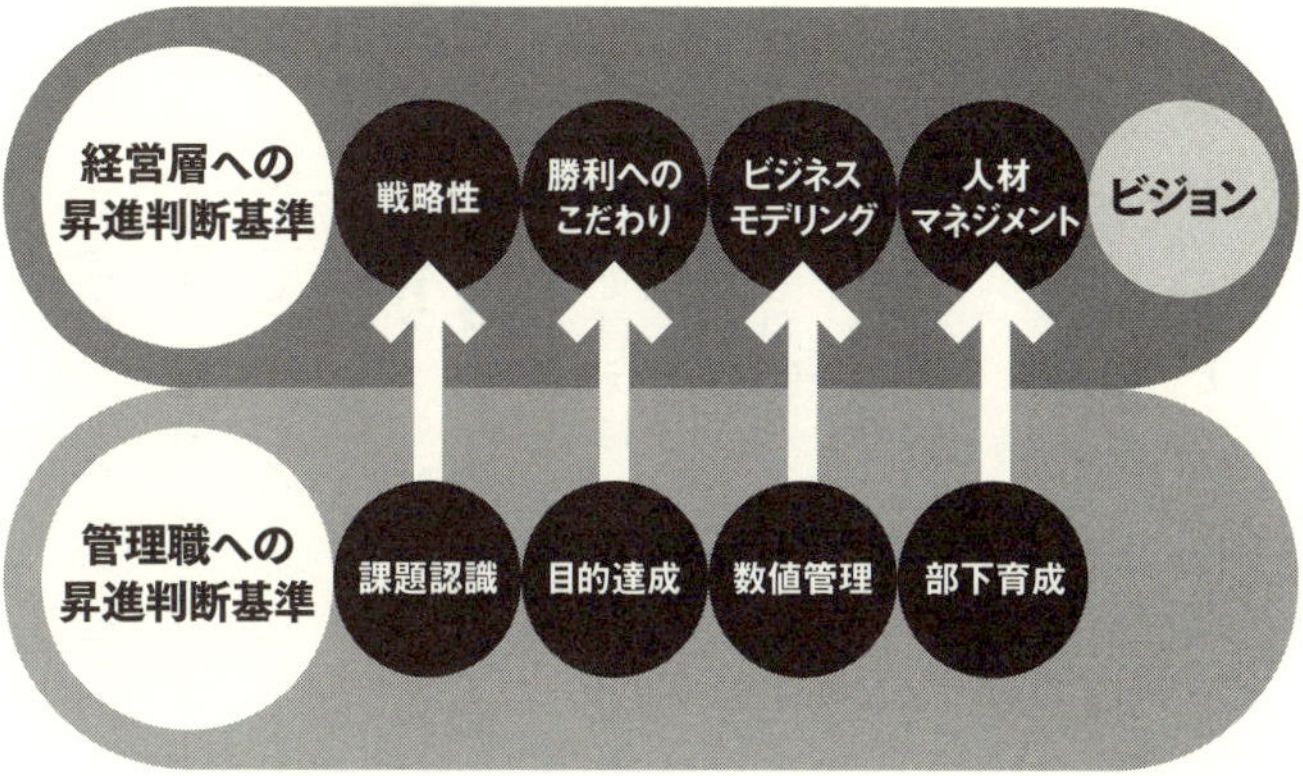

的を与えてもらわないと活動ができない人が役員に選ばれることはない。この会社の例は、経営層に出世したい多くの人の参考になるだろう。

少々余談だが、たびたびメディアで問題になる【コンプライアンス】や【倫理的な行動】は、もちろん経営層に求められる意識であり行動でもある。しかし私が知る限り、【コンプライアンス】や【倫理的な行動】を昇進基準として採用している企業はない。むしろ、経営層に昇進させた後で、コンプライアンス研修を徹底するなどして、行動と意識を変革させるようにすることが多い。

もちろん、行き過ぎたパワハラやセクハラをしている人物が昇進候補になることはほとんどない。あえて定義するなら、コンプライアンスや倫理性は、昇進候補者になる段階でのスクリーニング基準として用いることになる。

品行方正タイプより、問題児タイプがときに昇進する理由

正直な人事の実感で言えば、いわゆるモラル・ハザードに属する各種行動にあえて目をつぶる企業も多い。

とても優秀だけれど問題児。

品行方正で平均よりは優秀。

こんな2人の候補者がいれば、経営層は前者を経営層への昇進候補に選びたがる。特に優秀という自負がある経営層ほど、その傾向がある。優秀であることを求めるのはもちろんだが、「問題児を自分に従わせる」という欲求を持つ経営層は意外に多いのだ。

例えばある会社のオーナー社長は、ワンマンの権化のような人だった。社長との会議は、

開始時間も終了時間もいつも定まらない。部長以上全員を集めて12時間耐久会議のようなことも日常茶飯事だった。超がつくハードワーカーで、まさに24時間働きづめのような社長だった。

そんな会社で出世していったのは、そんなオーナー社長に対して平気でものを言う2人の部長たちだった。それぞれタイプは違ったが、1人は社内に勝手に自分の城をつくりあげた。採用面接を一手に担当し、ほぼすべての新人に対して、自分との上下関係を明確にさせてしまっていた。もう1人はさらにすごい。自部門の経費で事務所を契約し、そこに勝手に社員を配属して、専属の企画担当として使っていた。正確なところは聞けていないが、もしかすると法人登録までしていたかもしれない。そこで彼は「社長」と呼ばれていたのだから。

組織の一体化やコンプライアンスといった問題はどこ吹く風、といった調子で、彼らは自由に行動していた。そして彼ら以外の管理職たちは、そんな2人を半ばあきれながら放置していた。

もちろんオーナー社長はそれらの事実が発覚するたびに激怒し、懲戒処分を適用することもあった。部長から平社員に降格させられることすらあった。

それでも、そんな2人はやがて取締役になり、経営の中枢を担っていった。「俺がいないときには2人のどちらかに相談しろ」とまで言わしめたその理由は、つまるところ、「自分に似ているから」ということでもあった。そして指示を正しく守り続ける人材よりも、彼らのほうに大きな信頼を寄せていた。

ちなみに、前出の2人の評価は、極端に高い時と低い時とを繰り返し、平均的には他の管理職の方が高い評価を得ていた。

出世のための努力はダイエットに似ている

ではこれらの基準を知れば、すぐにそのように行動できるだろうか。

例えばp93〜の例のように【戦略性】や【ビジョン】が基準として重要だと理解しても、具体的にどのようにすればそれが身につくのかはすぐにわかりづらい。自分自身の戦略性を高めるために、戦略について語っている専門書を読めばいいのだろうか。ビジョンを獲得するためには、メディアを通じての情報収集を怠らなければいいのだろうか。

実際に出世した人たちで、それらの努力をしている人はたしかに多い。

でも、そうでない人もいる。努力せずにそれらの資質を獲得している人はたしかに存在するのだ。

そもそも努力というのはダイエットに似ている。誰でもダイエットする方法は知っている。食べる量を減らして、運動を増やせばよい。でも、そのシンプルな方法をそのまま実践できる人は多くはない。わかっていてもできないものだ。今できていないことをできるようにする。これが何よりも難しいのだ。

日本経済新聞やニューズウィークを欠かさず読み、新しく出たビジネス書や専門書を読み込み、時には講演会やセミナーで勉強することで視点を高く持ち、意識と行動を変えることはできる。

でも、それらは努力のための努力になりがちだ。努力のための努力には、強い意志が必要だ。しかし、それほど強い意志を持たなくても、経営層に出世するための基準を満たす方法はある。ダイエット本の流行がその参考になる。

ダイエットの方法は本質的に、食べる量を減らす、運動をする、という二点に尽きるわけだが、流行しているダイエット本で、そのものずばりを書いているものはほとんどない。

その代わりに、直接関係がなさそうな別の行動を書いている。

「食べたものを手帳に書いていきましょう」
「リンゴを必ず一つ食べましょう」
「睡眠時間を増やしましょう」

それらは手軽に実行できそうだけれど、実際にダイエットができるのかはよくわからない。けれども実際にそうしてダイエットに成功した人がいる。じゃあ真似してみよう、と思いやすいのだ。

そんなダイエット本の本質は、「やるべきことをクローズアップせず、できそうなことに特化している」点にある。人は、届きそうな目標であれば努力ができるからだ。

経営層になるための行動もそれに似ている。勉強をしたり交友関係を広げたりすることは重要だけれど、どうすればそれらが容易にできるようになるのか、ということがより重要なのだ。

出世している人たちに共通する二つの行動パターン

私がここで紹介したいのは、本質を理解することから始めるということだ。変化の時代に経営層へと出世するということは、本質にたどりつけているかどうか、ということに尽きる。

そして本質の理解に至る方法はさまざまだが、実際に出世している人たちは、二つの行動をとっている。

第一に、つながりを大事にしている。

第二に、質問を繰り返している。

この二つの行動をとっていれば、少なくとも【ビジョン】【戦略性】【勝利へのこだわり】【ビジネスモデリング】【人材マネジメント】などの資質が自然と手に入りやすくなる。

具体的に説明しよう。

つながりから生まれる価値に気づいているか

ビジネスとは新たな価値を生み出すための活動だ。

ではその価値はどこから生まれてくるのか。良い製品を作ればよいのか。世の中に存在しないサービスを生み出せばよいのか。あるいは顧客が増えて売り上げが上がれば価値も増えるのか。従業員が自発的に活動すれば、そこから剰余価値が生まれるのか。

そうではない。


本質的に価値とはつながりによって生まれるのだ。


例えば製造業の価値は、製造業を中心に、原材料と顧客とのつながりの中で生まれる。商品もサービスもそれ単体で価値を生むことはない。また、人もそこにあるだけで価値を生み出すわけではない。誰か他の人がいてはじめて価値が生まれる。

価値の本質に気づいていれば、つながりを大事にしなければいけないことがわかる。

価値を生み出すつながりには2種類がある。

第一が、限られたメンバーの中での強いつながり。

第二に、開かれた関係での弱いつながりだ。

詳細はグラノヴェター[4]やバート[5]などのネットワーク論研究に詳しいが、経営層を目指す立場でできることは二つだ。


第一の強いつながりを会社組織の中で考えてみれば、それは同僚同士の協力体制や、組織の上下関係による効率的活動に現れる。

一番強いのは、同じ仕事をしている人同士の協力関係。次に関係各部署間の協力関係。次第に関係性は遠く、つながりも弱くはなっていくが、社内あるいはグループ企業内のつながりは、外とのつながりに比べると、強くて確実なものだ。

4　マーク・S・グラノヴェター（1973）「弱い紐帯の強さ」『リーディングス　ネットワーク論』勁草書房、2006
5　ロナルド・S・バート（1992）「社会関係資本をもたらすのは構造的隙間かネットワーク閉鎖性か」（同）

経営層に出世する人たちは、このつながりを大事にしている。

ただし、社内の同僚であれば誰とでもつながればよいというものではない。

リストラ担当者はリスト対象者とのつながりを深めた

この章の最初に例示したA氏であれば、彼はまず前任の社長とのつながりを強めた。それだけなら上司に媚びる人、ということになるかもしれないが、次に彼はリストラ対象となる人たちとのつながりを深めた。私がリストラのための面接に同行することもあったが、面接の後で彼はこう言っていた。

「平康さんもよくおっしゃってますよね。退職者は会社の鏡だ、と。幸せに退職した人は、辞めた後でも会社のファンでいてくれる。だから幸せな退職者が多い会社は、目に見えない財産を持っていると。今回のリストラでも同じじゃないですか。辞めてもらわなければいけない彼らを財産にできなければ、リストラをする意味がない」

彼は今どき珍しい喫煙者で、たばこ部屋で意識して多くの人と話を深めた。

社内で彼が自分の席にいることを見るのは珍しい。いつも社内のどこかで立ち話をしているからだ。スケジュールが詰まっていてつかまえづらい人でも、歩きながら少し話すことくらいならできる。そうして彼は社内の主要な人たちとの対話をどんどん増やしていった。わざわざ会議を開いてそこに出席するように仕向けることもできたが、彼はそうせず、自分から相手のところに足を運んでいた。話していたのは、大半がたわいもないこと。そしてたまに、自分は今何をどう思っているのか、ということ。そんな対話を繰り返していた。

もちろん、三羽ガラスであるB氏、C氏との対話も多くしていた。時には対立しても、本質がどこにあるのかを常に議論していた。

この章の最初で紹介したデザイン部門のトップになったD氏は、こんな話をしていた。

「デザイナーという人種は、自分よりもスキルの高いデザイナーの言葉しか受け付けないんですよ。僕はダメなデザイナーでしょ。だから役員になったからといって、誰も僕の話は聞こうとしません。だから、僕は彼らが僕と話をすることが彼らにとってメリットがあるように心掛けて行動しているんです。彼らがあこがれる有名なデザイナーたちと対話する場をつくるとか、彼らの働きやすい環境を整備するとか。要は僕に相談すればなんとかなる、と思ってもらうようにしている。そうして僕というリーダーを受け入れてもらいながら、『こいつが言うならまあ聞いてやろうか』という状況をつくっていってるんですよ」

言葉通り、彼は自部署内とのつながりを徹底的に強めた。業務の進捗確認を密にしながらも、一人ひとりの自主性を高められるよう、動機づけのための方法を模索した。昇給や賞与の改定が必要であれば人事部門に直談判し、ワークライフバランスを意識するのなら率先して休みを取り、家で仕事をしていた。そうして彼は、自分が管掌する組織を、最も強力なデザインチームに生まれ変わらせることを最優先したのだ。

同時に彼は、顧客とのつながりを深めた。商品が発売されている現場に行く時間はなかったので、その代わりに、各商品部門との連携を深めていった。各部門の計画策定、進捗確認のミーティングに同席し、どの商品がどのように売れているのかを直接生の声で聴くようにしていった。デザイナー本人たちが嫌がる仕事を率先して引き受けることは、デザイナーたちの信頼を得るのにも役に立った。

取引先とのつながりをないがしろにする人の限界

人材とは人財だ、と言う社長がいる。だからこそ弊社では評価に差をつけません。処遇に差をつけず、従業員の生活を守ります、と。

たしかに従業員は重要な存在だが、それは従業員を子どもや壊れもののように扱うということではない。時にはストレスを与えなければいけないし、成長できない人には厳しい対応も必要だ。

これまで書いてきた「パーツとしての生き方」の逆の見方になるが、「パーツとしての確実な職務を与え」「パーツとして活動することの重要性を知らしめ」「自らよりよく変われる動機を与える」ことが、従業員を財産として扱うということだ。

そうして、市場水準に見合った十分な報酬を与え、自分の価値を知らしめる。

経営層の立場で強いつながりを生み出していく活動は、従業員一人ひとりに、自分自身が唯一無二の存在であると知らしめることにほかならない。管理職から経営層に出世する人たちは、そんな強いつながりを大事にしている。

強いつながりに加えて、弱いつながりを集めることができれば、価値はもっと生まれやすくなる。ビジネスにおける弱いつながりがあるということは、「私が／私のチームが／わが社ができることを、大勢の人に知られている」という状態だ。

社内であれば、少なくとも、名前を知られている。社外であれば、自分自身の名前と一緒に、会社としてできることを知られている。そういう状態をつくり上げることで、自分がつくり上げた強いつながりが生み出す価値をさらに高めてゆけるようになる。

強力なデザイン部門も、商品部門に知られていなければ、活用されることはない。

素晴らしい商品やサービスも、顧客に知られていなければ手に取られることはない。

トップセールスが重要だ、マーケティングが重要だ、ということはつまり、経営層が弱いつながりを数多く持てているかどうかということに尽きる。仮に目の前の知人があなたとのつながりを重視していなくとも、そこからさらにつながる他の人に知られるようなきっかけをつくり続けることができればいい。世界は小さく、6人か7人の仲介を経れば、誰とでも知り合うことができる。[6] そのきっかけは、まず誰かとつながらなければ生まれない。

経営層に出世している人の行動で言えば、まず外部の取引先との関係を大事にしている。公認会計士や税理士、弁護士、コンサルタントのような専門職との関係を大事にしている人もいれば、取引先と分け隔てなくつきあう人もいる。同業種や異業種交流を大事にする人もいるが、そのすべてを大事にするべき、ということではない。

少なくとも、それらの関係をないがしろにしない人たちだけが、弱いつながりを数多く手に入れているということだ。

経営層にみられる〝自分自身に質問をする癖〟

経営層に出世する人たちが行っているもう一つの行動は、質問だ。それも、自分自身への問いかけをいつも行っている。

6　スタンレー・ミルグラム（1967）「小さな世界問題」『リーディングス　ネットワーク論』勁草書房、2006

質問できる相手が身近にいる人は幸いだ。ポジションが低いうちは、周りに質問できる相手はいくらでもいることだろう。しかし出世していくほどに、質問できる相手は減っていく。最終的に社長になったとき、周りに質問できる相手はほとんどいなくなる。

この投資は実行すべきだろうか。

どの商品を開発すべきだろうか。

誰を採用し、誰を昇進させるべきだろうか。

そんな問いかけを誰にもできない。**経営者の仕事は「神と話す」ことだ、**といわれる所以がそこにある。**その神とは、自分自身の中の哲学、倫理であり、理想と経験との狭間にあるものだ。**

人事の仕組みで、エグゼクティブ・コーチングというものがある。

エグゼクティブ・コーチとして経営者の前に現れる人は、問いかけに対して答えを提供するわけではない。その代わりに、自分自身で答えに気づくことをうながしていく。

「エグゼクティブ」と冠しない「コーチング」を、管理職の職務として求める会社も増えている。それも部下からの質問に対して、正解を答えようとするのではなく、部下自身が気づくように持っていくためのスキルだ。

経営者は相談できる相手がいないからこそ自分自身に質問し続けることが重要なのだけれど、経営者でない人たちにとっても質問はとても重要だ。

自分自身に質問できる人は、自分自身の力で学び、変化し、成長することができるからだ。そうすることで、困難が立ちふさがっても立ち直ることができるようになる。チャンスに直面して何かを得る代わりに何かを捨てなければいけなくなったとき、そうすることができる。内発的動機[7]を獲得できるようになるのだ。

上に行く人たちは「どうすれば?」ではなく「なぜ?」で考えている

私が見てきた人たちは、管理職の段階から、むやみやたらと質問を繰り返していた。

7 ケン・ベイン『世界を変えるエリートは何をどう学んできたのか?』日本実業出版社、2014

その質問は「どうすれば？」というものではなかった。

彼らが発してきた質問はいつも「なぜ？」だった。

もちろん彼らの多くは空気も読んでいて、今まさに結論が出ようとしている会議の場でわざわざ「そもそもなぜ？」という質問にまで戻りはしない。

結論が出そうになってから「なぜ？」という疑問を口に出す人というのは、むしろ出世できない人に多い。自分自身の価値観に、むりやり周囲の人たちを引きずっていこうとする人たちだからだ。

出世してきた人は、最後に「なぜ？」と思ったとしても、まず自分自身に問いかけている。そして自分としての答えを導き出している。

「なぜ？」を社員にオープンにして、取締役となった人事部長

ある会社で、人事制度改革を終えて、従業員説明会を開催したときのことだ。

説明会の最初に、担当していた人事部長が口を開いた。

「そもそもなぜ、人事制度を改革するのか、みなさんわかりますか?」

会社側が「モチベーション向上」や「組織力活性化」のために人事制度を改善すると言っても、従業員は「できない人をクビにするため」や「高齢層に勝ち逃げさせるため」だろう、と思っているかもしれない。そんなときにあえて「なぜ?」と問いかけたのだ。

彼はこう続けた。

「私はこう考えています。10年後、20年後にもこの会社があり続けるようにするためだと。今回の制度改革で得をする人も、損をする人もいます。私自身についていえば、どちらかといえば損をする。年収や退職金などを含めて、お金の面では若干ですが損をします。現在50歳以上の人でいえば、だいたい30%の人が損をします。あとの50%は特に変わらず、20%の人は少し得をする。35歳から50歳の間だと、損をするのは10%くらいで、得をする人が30%くらい。

一方で、35歳以下の人に関していえば、これは100%得をします。

10年後、今25歳の人は35歳になります。35歳の人は45歳になっています。この10年間に、彼らに得をしてほしい。成功体験を積んでほしい。努力すれば報われると知ってほしい。会社は公正であり、働くことは生きがいとなるとわかってほしい。

そうして10年の間に、今35歳以下の人たちがこの会社を素晴らしい働き場所だと思うようになっていれば、会社はその先10年以上存続し、成長することができるようになります。

それがプロジェクト責任者として考え続けてきた、『今回の人事改革はなぜ?』ということについての答えです」

それは彼が常に問い続けていた質問に対する、彼なりの答えだった。

この言葉の後、新しい人事制度の説明はとてもスムーズに終わった。アンケートでも前向きな意見が大半で、特に35歳以下の層からの評判がよかった。

それから5年が過ぎた時点で、会社は事業計画を大幅に上回る成長をとげた。余談だがこの人事部長は取締役となり、今は常務として活躍している。結果として損はしていないが、そのことを指摘する人はいない。

経営層になる人は、仕事とプライベートを区分しない

経営層に出世した人たちの一つの特徴として「評価を気にしていない」ということをこの

本の最初に挙げた。

「評価を気にしていない」ということはつまり、他人からの評価を気にしない、ということでもあるのだけれど、もう一つ考えなければいけないことがある。

ここで言っているのは「人事評価」のことだからだ。他人からの評価を気にしないというだけなら単にマイペースな人、というふうに理解してもいい。しかし人事評価となるとそうもいかない面がある。

人事評価の結果はまず、昇給や賞与に関係するからだ。ということはつまり、日々の生活に直結する重要な「お金」に影響するということだ。

本当に人事評価を気にしないでおこうと思えば、お金との付き合い方がとても重要なのだ。

考えてみてほしい。マイペースな活動をしていて、自由に生きているあなたの周りの人たちは、お金の苦労を感じさせない人が多いんじゃないだろうか。資産家の生まれだったり、親からの援助があったり、金融資産や不動産を持っていたりすると、「評価を気にしない」状態にはなりやすい。でもそれこそ、出世のしやすさは生まれた環境で決まってしまうという、身もふたもない結論になってしまう。

しかし、恵まれた環境にない人でも、出世している人は多い。いや、むしろ環境に恵まれていない人ほど、大きな成功を手にしているかもしれない。

そんな人たちの共通点は、「仕事と生活とを区分しない生き方をしている」ということだ。

私自身も裕福な生まれではない。

今でも覚えているが、新卒で外資系コンサルティングファームに就職したとき、上京して最初に住んでいた部屋には冷蔵庫もクーラーもなかった。

お金がなかったからだ。

上京するための引っ越し代すらなかったから、大学の写真部時代に使っていたカメラ機材一式を売り払って、おんぼろマーチに布団などを積みこみ、高速道路を使わずに一昼夜かけて東京までたどりついた。そうして昼間は青山の近代的オフィスで研修を受け、夜は古いアパートの一室で窓を開けっぱなしにして、下町の喧騒に包まれながら、タイムセールで買った割引の弁当を食べていた。

そんな状況だったけれど、お金がないことを気にせず、ただ目の前の仕事に集中することができたのは、「これから君たちはコンサルタントとして生まれ変わるんだ」という言葉を聞いたからだ。その前後を含めて要約すると、私が聞いたのはこんな言葉だった。

「君たちの学生時代の身分は大学生だっただろう。部活動では部員。家に帰れば、家族の一員。高校時代の仲間にとっては友人。恋人がいれば互いに恋人で、もし結婚している人がいれば夫婦かもしれない。そして君たちは、大前提として人間だ。

その前提をすべて忘れよう。君たちは、今コンサルタントになった。コンサルタントという生き物に変わったと考えよう。人間でコンサルタントではない。コンサルタントで人間だ。人間よりも先にコンサルタントであろう。友人であるよりも先にコンサルタント、恋人であるよりも先にコンサルタント、家族であるよりも先にコンサルタント。そう生まれ変わったと考えよう。人間からコンサルタントに変わるということは、すべてが成長の糧に変わるということだ。コンサルタントとは成長し続ける生き物だからだ。喜びも苦しみもすべてが君を育てる糧になる。もし君が、目の前の状況を成長の糧にできないとすれば、君はコンサルタントになりきれていないということだ。そんなときには、コンサルタントならどうするのか、ということを常に考えよう」

第1章で書いたように、後にその言葉は、パーツとして働かせるための方便にすぎなかったと知ったが、それでも当時の私にすれば、大きな心の支えであり、生きる軸となっていた。今改めて考えてみると、まるで悪い宗教かブラック企業のようだけれど、私にとっては素晴らしい会社だったのでこの文章は感謝しているつもりで書いている。だからぜひそう読んでほしい。

全力で働き続けることでストレスが減る

仕事と生活とを区分しない生き方をすることのメリットはなんだろう。

第一に、全力で仕事をするので、低い評価そのものがとりづらくなる。もし全力で仕事に打ち込んで、それでも評価が低いようであれば、それはもしかすると向いていない仕事なのかもしれない。

しかし全力で仕事をすることは、とても楽しいことだ。

朝目覚めて寝るまでのすべてが仕事につながっていく。街を歩いていても、テレビやネットを見ていても、友達と遊んでいても、恋人と過ごしていても、すべてが仕事に役立つようになっていくからだ。むしろ「役立てる」という功利的な考えは薄れていき、すべてがより良い生き方のための成長の準備としてつながっていくように思えてくる。

そうして評価が良くなれば給与も増えやすい。お金の心配も減っていく。

第二のメリットは、ストレスが減っていくことだ。

歩いている人にとって走ることはストレスになる。しかしいつも走っている人にとっては、歩くことがストレスになる。

ストレスがなぜ生まれるのかといえば、変化が起きるからだ。

ストレスによるうつ病として、こんな症例を聞いたことがある。

3人の息子を持つシングルマザーの話だ。

彼女は若いころから1人で3人の息子を育ててきた。やがて息子たちは立派に育ち、それぞれがしっかりとした職を持ち、良い伴侶も得た。長男が新しい家を建て、母親と一緒に暮らすことを提案した。もちろん彼女は断らず、長男家族と何不自由なく暮らすようになった。次男も三男も近所に住み、理想的な老後のように思えた。

しかし、彼女は重度のうつ病になってしまった。担当医は、予期しない幸せの連続が彼女の心のバランスを崩してしまっていることに気づき、少しずつ彼女を癒やせる方向に治療を進めることになった。

幸せも変化だから、ストレスになるのだ。

だから変化が少なくなるほど、ストレスは減っていく。

たしかにハードな働き方や、他の人と違う生き方はストレスの原因になるが、それだけではないし、他の人と違う生き方も、慣れさえすればストレスにならなくなる。例えば寿司屋の板前になった人が、朝早くから市場に仕入れに行くことがストレスになるだろうか。看護師になった人が、ネイルサロンで爪を飾れなくなることがストレスになるだろうか。彼・彼女らがプロフェッショナルとして生きているのであれば、それらはストレスにならない。

ストレスとは変化の時に生まれるもので、常態が生み出すことができれば、それはストレスにならなくなる。

若き日の社長は「平日は家で食事しない」と恋人に断言した

とはいえ仕事と生活とが区分されなければ、評価は気にならなくなる、というとむしろ逆だと考える人もいるだろう。

評価を気にせずに働いて、結果として低い評価を受けてしまったら、仕事も生活もダメになるんじゃないか。すべてにおいてやる気がなくなってしまうんじゃないか。人事評価が下がれば給与も下がるし、すべてがダメになる、と思うこともあるだろう。

たしかに、この方法にはリスキーな面もある。仕事と生活とが区分されないままで働くということは、いわゆるブラック企業で働くこととかなり近しい面があるからだ。実際、ワークライフバランスはがたがたになりやすいし、プライベートという言葉が死語になったとき、自分自身は大丈夫でも、周りがそうではなかったりするからだ。

出世している人たちは、そのためのセーフティネットを設けている。

ある会社で社長に上り詰めた人は、平日は家で食事をしない、と断言して奥さんになる人と交際を始めた。結婚後に子どもが生まれ、子どもが成長しても、今なお彼は平日に家で食事をしない。

その代わり、土日は必ず仕事をせずに、家庭で過ごす。

プライベートを含めて、常態を築き上げたのだ。

同じような例は数多くある。要は、家族や友人を含めて、自分の働き方を認めてもらっているということだ。そうして、他人から見れば普通ではないかもしれないが、彼ら自身の基準でプライベートを満喫している。

あなたの周りで出世している人に、あらためて聞いてみるといい。

成功している人ほど、プライベートに満足していることに気づくだろう。

家族や友人との時間はビジネス上、会議やプレゼンと同じくらい重要である

なお、プライベートを含めて常態を築き上げる方法は、単純に家族や友人に協力をお願いすることではない。家族や友人たちとあなたとの間にももちろん、強いつながりがある。そ

れは直接的にビジネスとしての価値を生まないように見えるが、実はあなたが生み出す価値に対してとても影響力を持っている。プライベートでの強いつながりは、あなたを認め、あなたを理解し、あなたに期待する。それらはあなたの原動力になる（例えば、子どもの大学進学率についての分析で、親の学歴や子どもの成績は関係せず、ただ親が進学を期待しているかどうかによって決まる、としているものもある）[8]。

期待は、人をたしかに動かすのだ。

だとすれば、一方的に期待と理解を求める前にすべきことがある。あなた自身が家族や友人に対して理解と期待を示すことだ。それも仕事への一方的な理解を期待するのではなく、プライベートにおける時間、プライベートにおける幸せに対する期待だ。

具体的には、家族や友人との約束を、ビジネスの約束と同レベルで大切にすることだ。どうしても欠席できない会議と同じように、家族との食事を大切にしよう。必ず成功させなければいけないプレゼンと同じように、友人たちとの休日を全力で楽しもう。

8　荒牧草平（2011）「高校生の教育期待形成における文化資本と親の期待の効果」

他の強いつながりと同様に、プライベートの強いつながりは大きな価値を生み出す。だからこそ、ビジネスにおける強いつながりと同じだけの意識をもって、そのつながりを大事にしなくてはならない。

声をかけても普段は顔を出さない加賀が、二つ返事で同期会に応じたことに、金剛は逆に居心地の悪さを感じた。ヤツなりに気を使っているんだろう、と思うと、気を使われる立場になったことにやるせなさすら感じた。

集まった同期は、出向から戻った加賀と、システム課長の霧島、それに去年同業他社に転職していった赤城だった。

「いやー、追い抜いちゃってごめんね」

乾杯のあとの開口一番、加賀がそう言うと、金剛は逆に緊張がほぐれた。

「うまくやったじゃないか。どうやったのか教えろよ」

霧島が茶化しながらも、まじめに尋ねると、加賀が腕を組んで首をかしげた。

「正直わかんないんだよね。俺はてっきり金剛がそのまま上に行くと思っていたしね」

「俺もそう思ってたよ」

同期だからこそ言える本音に、加賀も霧島も笑った。金剛もつられて笑い、ジョッキをあけて次を頼んだ。

テーブルを囲んだ話題は、新卒の頃の話から始まり、これまでの15年をなぞる

S C E N E 3

同期の助言

ように続いた。たわいもない話もあれば、抜き差しならない過去の暴露話もあって、4人の夜は終電近くまで続いた。

店の閉店に合わせて外に出ると、風が肌寒さを運んできた。日差しのある昼と違い、夜にはもう秋を感じさせる。

加賀に会ったら、自分に何が足りないのかを聞こうと思っていた。

出向から戻った祝いとか、昇進祝いとかのために同期会を開いたのではない。扶桑に言われた言葉が、どうしても金剛の頭から離れなかった。それを解消しないことには、まるで底の見えない海でもがいているような気にすらなる。

しかし聞けなかった。

霧島の問いに乗っかって、そのまま聞けばよかったのかもしれない。でも、どうしても、「なぜ俺じゃなかったのか、お前ならわかるか」という言葉が口に出せなかった。

加賀も霧島も、終電を気にしながら、一声だけかけてきて、そのまま走り去った。久しぶりに1人でどこか寄っていくか。そう考えた矢先に、軽く腹をこづかれた。小柄で無口な山男が、帰らずに残っていた。人事畑をずっと歩いてきてい

S C E N E 3

同期の助言

て、同業他社にも人事課長として移ったと聞いた。その赤城が、金剛の顔を見上げていた。

「もう一軒つきあえよ」

どちらがその言葉を口にしたのかは、すぐに忘れてしまった。

裏通りのさびれたスナックに入って、金剛は泣いた。

赤城は何も言わず、ボトルで入れた安いウイスキーをグラスに何度も注いでは、ゆっくりと飲み干した。

「お前ならわかるか」

トイレで水道水を顔に叩きつけ、気持ちを洗い流して座り直すと、ようやく質問を口にすることができた。小柄な山男はひげをさすりながら金剛の顔を正面から見据えた。

「お前は、上と喧嘩をしないからな。評価を気にしてるだろ」

その言葉に、金剛はのどをつまらせた。それはその通りだ。しかし長年の体育会系気質で、そのことが正しいと思うからこそとっている行動だ。それがまずいのか？

「これからの1カ月、あえて上に逆らってみろよ。それと、下からの提案を、二つのうち一つは通してやるようにしてみな」

「そんなことをしたら、俺の立場がなくなるだろう。上にたてつくなんて、できるわけがない。それに、下の連中はまだまだ育ってないんだ。その意見をとりあげるなんて、考えづらいぞ」

「出世したいんだろう？　それともいい評価があればいいのか」

正面から見据えてくる赤城の言葉に、金剛は再びのどをつまらせた。

それは同じ意味じゃないのか？

「上から見ればいい駒なんだな、お前は。駒は飼いならして乗りこなすもんだ。でも、駒と横に並びたいとは思わないもんさ。出世したければ、駒じゃなくて、乗り手であることを見せなきゃな」

「それがたてつくこと、下の意見を通すこととどう関係するんだ」

「まあやってみな。お前が変わるためには、まず周りを変えることだ。1カ月後にまたこの店で飲もう。続きはその時に教えてやるよ」

S C E N E 3

同期の助言

第4章

採用試験の本番は40歳から始まる

課長ポストからのキャリアの見直し

課長から部長、経営層への昇進が会社で働く人たちの標準的な出世だ。

しかし、それ以外の選択肢もある。

そもそも課長になった人全員が部長にはなれない。執行役員や取締役はさらに狭き門だ。となれば、多くの人は、会社内での昇進ではないほうの「出世」の道を選ぶ可能性もある。

これからの時代ではむしろ、そちらのほうがあたりまえになるのかもしれない。限られたポストに向けた昇進を目指すのではなく、自分の強みを生かして自分らしく生きることができるようになるための「出世」だ。

会社の中で昇進する出世も、自分らしい生き方のための「出世」も、金銭的・社会的に大差ない場合だってある。

そんなキャリアの検討を始めるタイミングが課長職であり、年齢で言えば40歳だ。

40歳からの10年間はなぜ重要なのか

40歳前に課長になる人が増えている。もちろん外資系やベンチャー企業であれば20代後半で課長クラスになることもある。しかし例えば出世が遅かった公務員などでも最近は30代半ばくらいから課長クラスの選抜があるようになっている。

それはやはりグローバル化によって変化が激しくなったからだ。若者を安くこき使い、年寄りに多く配分するような仕組みを維持できる年功的企業はどんどん減っている。

また、そもそも人間も動物である以上、脳や筋力には活動できるピークがある。

過去に分析した結果に基づくなら[9]、業種や職種にもよるが、人間の活動のピークは35〜45歳の範囲に収まる。だからなるべくそのピークの間に活躍してもらえるよう、35歳から40歳の間くらいで管理職に登用することが増えている。

ではその先への出世は、何歳くらいで行われるのだろうか。

『TOPIX Core30』という株価のインデックスがある。毎年9月に入れ替えられる30企業の株価によるインデックスだが、ここで選ばれるのは、時価総額と流動性の特に高い企業だ。

9 「MR職における年齢とパフォーマンスとの分析」(平康、2005)

２０１４年7月の時点でいえば、次のような企業が属している。

日本たばこ産業／セブン&アイ・ホールディングス／信越化学工業／武田薬品工業／アステラス製薬／新日鐵住金／小松製作所／日立製作所／パナソニック／ソニー／デンソー／ファナック／日産自動車／トヨタ自動車／本田技研工業／キヤノン／三井物産／三菱商事／三菱UFJフィナンシャル・グループ／三井住友フィナンシャルグループ／みずほフィナンシャルグループ／野村ホールディングス／東京海上ホールディングス／三井不動産／三菱地所／東日本旅客鉄道／日本電信電話／KDDI／NTTドコモ／ソフトバンク

これら30社の取締役３８０名について、彼らがどのような出世をしてきたのかを確認してみた。

彼らの平均的な昇進年齢は次のようなものだ。

TOPIX Core30の取締役３８０名

部長昇進の平均年齢……50・6歳
取締役昇任の平均年齢…54・1歳

ということはつまり、「40歳で課長になってからの10年間で、部長になれるかどうかが決まる」ということだ。

トップまで行く人は、部長への昇進とほぼ同時期に役員になる

さらに社長経験者56名だけを抜粋して平均的な昇進年齢を見ると、次のようになる。

TOPIX Core30の社長経験者56名
部長昇進の平均年齢……50・4歳
取締役昇任の平均年齢…51・0歳
社長昇任の平均年齢……55・6歳

社長になった人たちは、部長への昇進とほぼ同時期に取締役にも昇進している。そしてその後4～5年で社長になっている。つまり、「部長に昇進した時点でほぼ社長候補になっている」ということだ。

だから40歳からの10年間は部長になれるかどうかだけでなく、その会社で社長あるいはそれに近い経営層になれるかどうかを判断される期間でもある。

部長になれなかった場合の40代からのキャリアの現実

もし、課長のままで50歳になったらどうなるのか。

かつての団塊世代がそうだったし、バブル世代、そして団塊ジュニア世代も同じような会社の人事制度が待っている。

最初に直面するのは、役職定年だ。

人事専門誌の『労政時報』[10]によれば役職定年を導入している企業の割合は30～40%の間だ。そして課長の平均的な役職定年年齢は56歳。

役職定年になると、それから段階的に給与が減額される。最高裁の判例では、役職定年後の給与減額は違法であると確定しているものの、実際に減額をしている会社は多い。

そうして60歳になると、定年退職後の再雇用が待っている。

中小企業なら5社のうち4社、大企業だと10社のうち9社が再雇用の仕組みを採用している[11]（それ以外の会社では定年延長か定年廃止を採用している）。

再雇用後はおおむね10～40％の給与が減額される。

これらの事実を給与面から簡単に言ってしまえば、55歳前後（会社によっては50歳）をピークとして、給与は下がり続けるということだ。どれだけ良い人事評価を得ようとも、ピークの後で給与が増えることはほとんどない。

ため息しか出ないような仕組みだ。

10　『労政時報』３８５７号（２０１３年11月22日発行）
11　厚生労働省（２０１３）『平成25年「高年齢者の雇用状況」集計結果』より

「優秀なパーツ」の先には、役職定年が待っている
課長ポストから二分されるキャリアの方向性

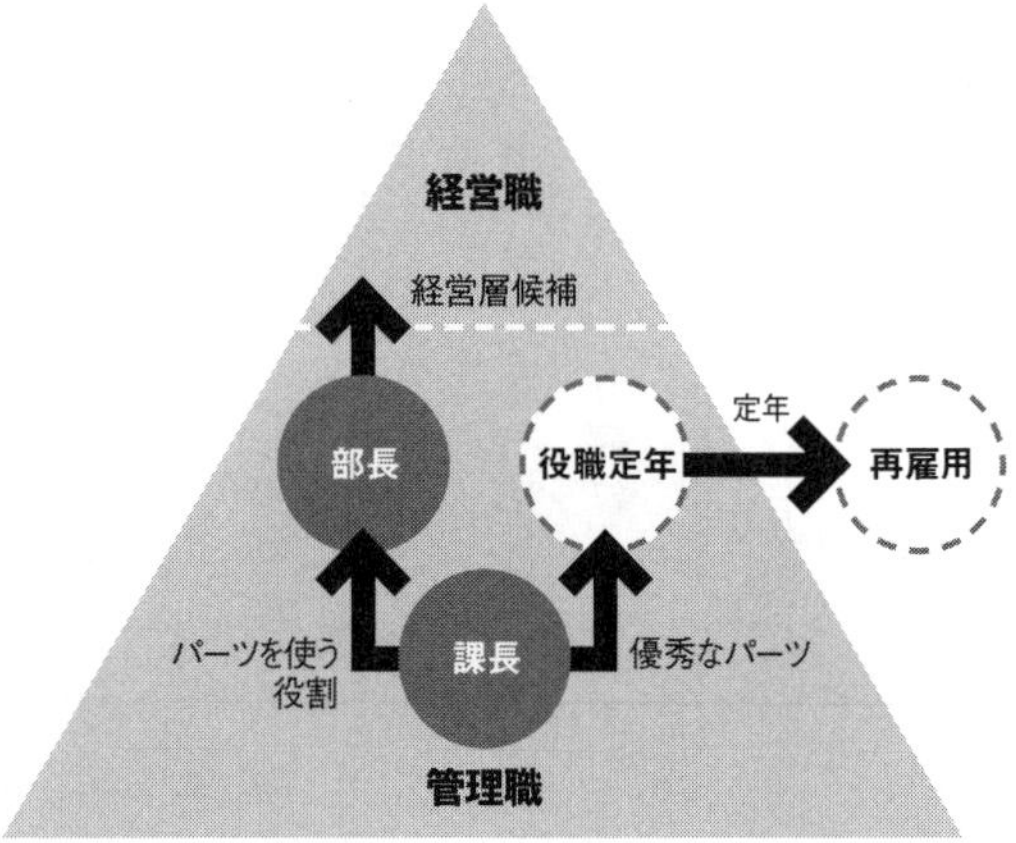

でも、そうしなければ企業が存続できないからそうせざるを得なかった。日本全体で、働いている人に比べて高齢者の割合が増えて、社会保障負担が企業側に課せられている。会社というのは、ビジネスモデルを通じて価値を生み出す性質が一番強いはずだが、それよりも、公器としての社会性が求められるようになってしまっている。

さらに今後、定年あるいは再雇用の上限が65歳を超えて、70歳、75歳になっていく可能性も高い。そうなれば会社側は高齢者をお荷物と感じながらも、給与を支払わなければならなくなる。

会社も、働く側も、どちらも幸せな未来

が想像しづらい。

ちなみに、もし部長に昇進できたとしても、取締役になれなければ状況はそれほど変わらない。部長級の役職定年平均年齢は、課長よりもわずかに0・4歳上の、56・4歳だからだ。そして部長だからといって、60歳で定年にならないわけではない。その後はやはり再雇用が待っているし、課長よりもむしろ部長経験者のほうが、減額される給与額が多いだけ、厳しい生活が待っている。

課長時代の働き方がその後の会社人生を決定する

課長になるまでは、人事評価基準を理解して、視点を高く持ち、能力を高めて成果を生み出せば昇進できる。

そして、昇進すればそれは社会的成功と同じ意味を持ち、所得も増え、生活も安定する。

では、課長になってからもそのような働き方が望ましいのだろうか。

働き始めてからの15～20年で課長になる。

それは、会社組織の中で、事業の一部を担える専門性を持つようになったということだ。営業であっても事務であっても、なんらかの機能を担える優秀さを獲得した、ということが課長になるということだ。

シニカルに見れば、パーツとしての優秀さを獲得した、ともいえる。

しかしここまでで説明したように、課長になった後は、パーツとしての優秀さを高めていったとしても、部長や経営層になれるわけではない。平均して10年ほどの猶予期間の間に、経営層としての資質を獲得するよう努力しなければいけない。それは課長になるまでに培った経験以上のものを獲得するということで、決して楽な道ではないだろう。

もちろん、パーツとしての優秀さを高めることにはメリットもある。

人事評価の結果が良くなるからだ。

人事評価の結果が良くなれば、給与も増えるし、賞与だって多くもらえるようになる。

人事評価の結果が良くなれば、会社というコミュニティの中での存在価値も高まるだろう。

物心両面でメリットが高まるので、人事評価を意識して活動することは決して悪いことではない。

しかし課長になった時点ですでに経営層への出世を視野に入れている人は、それまでの出世基準が通用しなくなっていることに気づいている。

だから、彼らは人事評価の結果を、自然と気にしないようになる。

パーツとしての優秀さを測られる基準に沿って行動していたとしても、出世できないことをわかっているからだ。

課長から部長に上がれる人は平均「2・7人に1人」

では課長になってからは全員が、経営層としての視点を持ち、部長や経営層への出世を目指して努力すべきなのだろうか。

たしかに、そうして多くの人が成長すれば、そこから生まれる新たな経営層のレベルも高まるので、会社としては良い状態が生まれるかもしれない。

しかし、全員が上位のポストに昇進することは不可能だ。

そもそも、会社の中で課長や部長の割合はどれくらいだろう。

100人以上の会社に限っていえば、次のようになる。[12]

課長割合……29・2％（だいたい3人に1人）
部長割合……12・7％（だいたい8人に1人）

つまり、「課長になった人のうち、2・7人に1人」が部長になることができる。

また、経営層の人数はどれくらいだろう。

経営層には、取締役、監査役、そして厳密にいえば従業員だけれども実質経営層となる執行役員が含まれる。これらの平均人数は次のようになる。[13]

執行役員数…10・85人（執行役員制度を導入している企業割合は57％）
取締役数……7・81人
監査役数……3・26人

これらを全部合計しても21・92人＝約22人だ（ちなみに、経営層人数は、企業規模とはほとんど相関していない。従業員1００人の会社でも取締役が5人いる会社もあれば、従業員1万人でも取締役が10人しかいない会社もある）。

部長になった後で取締役を目指すということが、いかに狭き門なのかがわかる。

課長になったすべての人たちが、さらにその上への出世を目指したとしても、全員がそうなれるわけではない。だとすれば、そのような生き方「だけ」を目指すべきだ、とはとてもいえない。その選択はあまりにもリスクが高すぎる。

この本の第6章で、昇進以外の選択肢を示すのも、そういうリスクがあるからだ。

12　厚生労働省（２０１４）『平成25年「賃金構造基本統計調査」の結果』より

13　日本監査役協会（２０１３）『役員等の構成の変化などに関する第13回インターネット・アンケート集計結果（監査役設置会社版）』より

「10歳以上年下との競争」を生むタレントマネジメントの流れ

また、昇進のための競争環境も変わりつつある。

第1章で説明した、ランクオーダートーナメントの原則が崩れはじめている。

今、人事部門のホットトピックスの一つに「タレントマネジメント」というものがある。社内のどこに、どんな人がいるのかを可視化して、育成と最適配置につなげようという人事マネジメントの仕組みだ。

評価結果だけではない。それぞれの従業員がどんな仕事をしているのか、誰と仕事をしていたのか、生み出した成果は具体的にどういうものだったのか、などを統計的に処理して可視化された状態の構築を目指す。

タレントマネジメントの目的の一つが、経営層候補者の早期選抜だ。

30歳前後から、次世代経営層候補者を選び、育てるための仕組みとしてタレントマネジメントが期待されている。というのも、50歳で部長、54歳で取締役になる、という日本の平均的年齢では、世界で戦えないからだ。

最近、あるグローバル企業の社長が人事部門に特別な指示を出した。

「35歳の事業責任者（＝執行役員）をつくれ」

その理由は簡単だ。

彼自身が、海外の同業他社との会合に出たときに、違和感を覚えたからだ。

海外他社では30歳から40歳前後の事業責任者が同行しているのに、自社の事業責任者たちは、平均しても50歳。他社の事業責任者と親子くらい年が離れていることも珍しくない。

そして他社の事業責任者たちは、若さゆえに、積極的で、前例にとらわれず、頭の回転も速く、行動も素早かったという。

これでは勝てるわけがない、と社長は実感したのだ。

前述した職務主義の人事制度も、こういった方向性に基づいている。

最も活躍できる35歳前後で経営層に抜擢する。活躍を期待する分だけ、給与も高く払う。それも1000万円レベルではなくて、2000万円や3000万円の年収だ。そういう人事制度にしないと、グローバルに活躍する多くの会社と競争すらできない、という状態になっていることに気づいたからだ。

タレントマネジメントの仕組みが普及していくならば、経営層への選抜は20代、あるいはそもそも採用時点から行われることになる。つまり、採用時点からすでに「パーツとして優秀になることを求められない」人たちが増えていくということだ。彼らは22歳や24歳の時点から、経営層候補としての視点を持ち、行動することが求められるようになるだろう。

そんな人たちとの競争はまさに前例がない、異次元のものに感じられるだろう。

課長以上になれなかった場合も「出世」はできる

会社の中で昇進を目指したとしても、課長からの出世はとても狭き門だ。競争相手も同世代ではない。むしろ10歳、20歳年下の若手が競争相手になる。

もちろんその競争＝トーナメントを続けるという選択肢もある。しかしすでにそれは、ランクオーダートーナメントではない。同じランクの中でトーナメントが行われるのではない。とてつもない若手からの抜擢もある。

あるいは、社外の同業／異業種からのヘッドハンティングも増える。大きなミスをしたり、長期休職をして、トーナメントから外れたと考えられていた人の中から、最適な人材が選ばれることだってあるだろう。

では課長になった後は、シニカルに構えるべきだろうか。

どうせ会社人生は課長が頂点だ。だから副業をはじめよう。あるいは金融取引をはじめよう。不動産投資をはじめよう。会社での仕事はそこそこにして、そちらに注力しよう、とすることがうまい生き方だろうか。

そういう生き方ももちろんあるだろう。しかしそれはずいぶんとさびしい気がする。せっかくここまで培ったキャリアを半ばあきらめて、別の道を選ぶことは、過去の自分の否定にすらつながる。

それはあまりにももったいない。部長や経営層に昇進できなくても、過去のキャリアを活かしながら「出世」する道はあるのだ。

かつて、出世とは社内で昇進することだった。

しかし、今ではそれ以外の選択肢のほうが増えている。

本書では次の章から、**第二のキャリアを設計する方法**を示すが、これらは社内で活躍しやすくなるだけの方法ではない。やがてくる役職定年や再雇用のタイミングなどで、会社にしがみつく以外の選択肢を獲得するための方法でもある。

それは、自分らしく生きるための未来図でもある。

キーワードは人的資本だ（本書の最後に、本書で用いている人的資本についての説明を記載している）。

40歳は第二のキャリアの出発点

国家戦略会議のフロンティア分科会で「40歳定年制」が提言された。その後、具体的な内容が書籍化[14]されたこともあり、多くの人が少なくとも「40歳定年制」という単語は聞いたことがあるだろう。

同書から要点を抜粋してみよう。

そもそも40歳定年制とは、40歳で無理やり全員を解雇しよう、という考え方ではない。およそ20年というサイクルごとに働き方をあらためて考えるタイミングをつくろう、そのために「定年」という考え方を導入しよう、というものだ。40歳になってもその会社で働くことがキャリアとして適切であればそのまま働き続ける。しかし別の道を選んだほうがよい、と思われるのであれば他の道を選ぶ。

定年制という形で全企業に普遍化すれば、40歳時点での転職活動もあたりまえになる。今のように、中高齢になってからの転職が難しい、という事態も解消される。そのための国としての制度化なのだ。

「20〜40歳、40〜60歳、60〜75歳で、動こうと思えば動けるよう、方針転換をしやすくする」(同書)という考え方は、企業側の人事制度の変化にも適合した、現実的な考え方だ。

14 柳川範之(2013)『日本成長戦略 40歳定年制 経済と雇用の心配がなくなる日』さくら舎

しかし、**ここまで書いた人事制度の説明を知れば、40歳という「平均的に課長になる年齢」でキャリアが変化することは、すでにあたりまえであることがわかる。**

新卒が社会人としてのスタートであるとすれば、課長になるということは社会人としてのターニングポイントだ。仮に課長になっていなかったとしても、40歳を区切りにして自分自身の成功体験やスキルを棚卸しして、あらためて人生を考えてみるのにも良いタイミングだ。それは現在の政権が推し進めている新しい制度ではなく、今すでにある現実なのだ。

課長になる前となった後とで、評価される基準が変わることを説明してきた。努力すべきポイントも変わってくる。

そのことに気づいていた人が会社の中で昇進しており、気づかずに目の前の業務にのみ注力し続けていた人が、仕事には満足しつつも、やがて役職定年や定年後再雇用の仕組みの対象になっていくことは理解してもらえたと思う。

副業や資産を増やす活動に注力することを止めはしない。

しかし、せっかくここまで築き上げたあなたのキャリアを、さらに高める方法はある。

新卒の時と違い、第二のキャリアの出発点では、あなたにはいくつかの武器がある。それらをどう使っていくのか、どう伸ばしていくのかを考えてみよう。

SCENE 4

役員との論争

会議室が静まり返っていた。

普段温厚といわれている、営業担当常務の三笠が声を荒らげたからだ。

円形の会議用テーブルを挟んで金剛が立ったまま、もう一度口を開いた。声を出そうとして、喉の奥が渇いていることに気付いた。しゃがれた声になりながら、それでもなんとか振り絞って、先ほどと同じ意見を口にした。

「三笠常務。お言葉ですが、重点商品の変更には2週間が必要です。たとえ営業課員を総動員しても、取引先に配布するパンフレットの再印刷は間に合いません。POSシステムへの登録にもシステム部門の協力が必要ですが、彼らは現在新経理システムプロジェクトに工数をとられていて、今週は、それこそコップをさかさにしても何も出てこない状況です」

「それでもやれ！　と言ってるんだ！」

荒々しく机をたたきつけるこぶしが震えている。居並ぶ営業課長、課長代理が首をすくめる。ただ、三笠の隣に座る営業部長代理の加賀だけが素知らぬ顔でPCの画面を見つめていた。

「無理です」

いやな汗が背中を流れる。金剛の人生の中で、上司に面と向かって反対した経験は記憶にない。部長が不在になり、部長代理の加賀は意思決定をさらにその上に丸投げしている。だから直属上司は実質的に常務の三笠だ。そんな雲の上にしか感じられなかった存在に反論するなんて、今までの金剛ならありえない話だった。

しかし、今さら前言を撤回するわけにもいかない。

冬の重点商品はそもそも、夏前に決まっていたものだ。営業課全体が一丸となり推し進めてきた準備は万全で、取引先からも期待されていた。

三笠から、商品の変更を打診されたのは一昨日の夜だった。遅くまで残って部下の日報をチェックしていた金剛のところにふらっとやってきて、見たことのない取引先の製品パンフレットを机に置かれた。

「僕の親しい会社でね。今期の重点商品はこちらに変えておいて」

あぜんとした。しかしそれでも、以前の金剛なら、それをなんとか押し通そうとしただろう。だが今回は、あえて2人の係長たちを呼び、意見を聞いてみることにした。青葉と北上だ。そして2人の意見は同じだった。

ありえません。不可能です。

後ろ向きの意見を部下から聞くと、金剛は本能的に怒りを覚える。それでも、なんとか気持ちを落ち着けて、あらためて考えてみた。頭のどこかに、以前、赤城に言われた言葉が残っていたからだ。

——部下の意見のうち、二つに一つは通してみな。

今回は２人とも同じ意見だ。二つのうち一つ、ということであれば、これは断るべきだ。

それに、あらためて上司の意見に疑問を持ってみると、三笠の行動には不審な点がいくつも思いあたった。なぜ就業時間外にやってきたのか。なぜ金剛のところにやってきたのか。他の課長に確認してみると、重点商品の変更は金剛が担当する地域だけに押し込まれたもので、他の地域では予定通りの商品で展開することになっていたのだ。

こいつなら言うことを聞くだろう、と軽んじられているのか。俺じゃなくて加賀を部長代理に据えておいて、あげくにこの仕打ちか。

「何をどう言われましても、今月は間に合いません。来月の商品の一部を差し替えることなら間に合いますが……」

「それじゃ遅いんだよ！　もういい！　他の課でどこか引き受けるとこはないのか！」

しばらく沈黙が流れた。しかし手を上げるものは誰もいなかった。

その様子をみながら、三笠は立ち上がり、両手をテーブルに叩きつけた。

「お前ら！　次の査定でいい評価をもらえると思うなよ！」

温厚といわれている常務の激高に、加賀以外の管理職はすべて下を向いていた。

いや、加賀と、そして立ったままで三笠を見つめる金剛だけが、下を向かずに前を向いていた。

「……常務、後ほどご相談がありますが、よろしいですか？」

ふんまんやるかたない三笠に、隣から加賀が声をかけた。

「いい話なんだろうな」

「会社にとっては、いい話ですね」

「ふん」

「では、重点商品はそのままということで。営業会議を終了します」

加賀がパソコンを閉じると、営業管理職たちは逃げるように席を立ち、扉から外に流れ出た。金剛も書類を整え、扉に向かおうとした。

ふと加賀をみると、こぶしを握り、親指を上に突き出していた。

一瞬交差した視線が「よく言った」というメッセージにも思えた。

とはいえ、金剛の気が晴れることはなかった。さすがに首になることはないだろうが、昇進どころか、課長のポストすら危ういかもしれない。評価を気にするな、と言われても、実際に評価が下がるようなことをした後では、後悔の念しか生まれてこなかった。

俺のサラリーマン人生も、課長が頂点なのか。

そう思うと、加賀に負けたときよりもさらに暗い気持ちに沈み込んでいった。

S C E N E 4

役員との論争

第5章

飲みに行く相手にあなたの価値は表れる

第二のキャリアを設計する

第二のスタートは人的資本の棚卸しから

40歳、第二のキャリアの出発点に立ったとき、自分自身の経験を棚卸しすることをお勧めする。そうすることで自分自身の強みがクローズアップされるとともに、強い自信を獲得できるようになる。それらはキャリアを設計するときの大きな武器になる。

自分自身の経験を棚卸しするとき、人的資本という概念に立脚するとわかりやすい。人的資本という概念はずいぶん古い。

今では普通にどの経済学の教科書にも掲載されている考え方だが、要は自分が今まで経験してきたことや、受けてきた教育が自分自身の価値となっている、という考え方だ。

第二のキャリアを設計するにあたって、自分自身の人的資本を棚卸しすることをお勧めしたい。

これは、それほど難しいことではない。

まず、形式的な書き出しから始めてみよう。

縦軸に年齢を置き、人的資本に対する投資と、交友関係としてのつながりを記載していけばよい。サンプルとなる「人的資本棚卸しシート」をｐ159に掲載するが、それぞれの項目には次のような内容を書く。

学生時代

投資

生まれた場所：出生地の特性を生かせるかもしれない
育った場所：複数あるのなら、それも併記しておく
義務教育を受けた学校：特別な学校でなければ、公立、程度の記載でもＯＫ
高校：特別な学校でなければ、公立、程度の記載でもＯＫ
大学：専攻や部活動、アルバイトなどを記載
大学院：専攻や執筆した論文を記載
その他専門学校など：どのような勉強をしたのかがわかるように書く

つながり

現在の交友関係：今も残る交友関係を書く
転機となった出会い：記憶に残る特別な出会いを書く

就職後は、投資の部分だけが変わる。

投資

勤務した企業：企業名
勤務した部署：部署名と所在地を書く
経験した業務：部署名からわかりづらい業務の内容を書く。プロジェクト型の場合には要約しても構わない。
得られた専門性：自分の理解で構わないので、専門性を書く
その他自己投資：社会人大学院や通信教育など、体系的学習の実績を書く

40歳になったら、人的資本を棚卸しする

第二のキャリアを構築する「人的資本棚卸しシート」

	投資	つながり
学生時代	生まれた場所: 育った場所: 義務教育を受けた学校: 高校: 大学: 大学院: その他専門学校など:	現在の交友関係: 転機となった出会い:
就職〜29歳	勤務した企業: 勤務した部署: 経験した業務: 得られた専門性: その他、事自己投資:	現在の交友関係: 転機となった出会い:
30歳〜34歳	勤務した企業: 勤務した部署: 経験した業務: 得られた専門性: その他、事自己投資:	現在の交友関係: 転機となった出会い:
34歳〜現在	勤務した企業: 勤務した部署: 経験した業務: 得られた専門性: その他、事自己投資:	現在の交友関係: 転機となった出会い:

棚卸しが終わったら、強調したい部分を探す。

同一の専門性を積み重ねていれば、強調すべき部分はその専門性に特化できるだろう。しかしそうでないのなら、棚卸し一覧からストーリーを探す。

ストーリーとは、あなたが経歴を積んできた意味をわかりやすく表すということだ。

自分を主人公として、ストーリーになる要素を洗い出してみる

例えば最初に営業企画に配属され、次に支店営業に配属されたとしよう。一時本社でIT部門に配属されたが、その後再び営業に戻り、複数の支店を渡り歩き、現在は生まれ育った地域の支店の営業課長というようなケースだ。

このような場合、専門性の軸は営業になる。ここにストーリーを加えるとすれば、一時配属されていたIT部門の経歴と、現在勤務している場所が生まれ育った地域ということだ。

ストーリーの基本は、違いをはっきりさせることにある。

営業だけを経験しているのではなく、あなたにはIT部門経験という違いがある。営業とIT部門とをセットにすれば、「ITを活用した営業効率化の検討ができる」ということが

連想できる。生まれ育った土地で勤務しているということは、「地元の交友関係を営業活動に活かせる」ということが連想できる。

また、営業という業務から培われた専門性を考えてみよう。営業というと、「対人コミュニケーション」という専門性が考えられる。法人への新規営業であれば、「契約のクロージング」というものもあるだろう。あるいは業務スタイルによっては、「地域に密着したマーケティング」というのもあるかもしれない。製造業勤務であれば、「顧客情報のフィードバック」も考えられる。

これらは、どんどん連想していけばよい。

自分を主人公として、過去を振り返って、ストーリーになる要素を思い出していく。今も残る交友関係は、あなたの人間性を深める要素になるだろう。小中学校時代の悪友たちと3カ月に一度飲むことがあるのなら、「地域との密接な関係性」といえるかもしれない。一時疎遠になったが、SNSを通じて再度復活している関係も書き記そう。

転機となった出会いは、あなたにどんな変化をもたらしただろうか。最初の転機は、現在の伴侶とのものかもしれない。あるいは学生時代の恩師がその後のあなたの進む道に大きな影響を与えただろうか。会社に入ったときの優秀な同期たちとの出会いが、あなたに大きなプライドを与えた結果、その後のハードワークに耐える気力を与えてくれたのかもしれない。

そうして自分の人的資本を棚卸ししてゆく。

経理の棚卸しと違い、人的資本の棚卸し作業に終わりはない。掘り起こす先があなたの記憶だからだ。今気づいていないことを、後から思い出すかもしれない。

だから完成させる、というよりは、まず棚卸しをして、書き出してみる。

そこにできたのは、あなたという人の強みの一覧だ。

もちろん、他の誰かと比べれば見劣りがする場合もあるだろう。しかしあなたの棚卸し結果を誰かのと見比べる必要はないのだ。この作業は、やってみるとわかるが、とても楽しい作業だ。そして一段落すると、あなたに大きな勇気を与えてくれる。

専門性とつながりの「新しい使い道」を考える

棚卸しが一段落したら、あなたの専門性を列記してみよう。

先ほどの例に沿えば、あなたの専門性は次のようになる。

「対人コミュニケーション」

「契約のクロージング」

「地域に密着したマーケティング」

「顧客情報のフィードバック」


これらの専門性は、あなたの中に存在するが、それを使う対象は限られていることだろう。

そこで、次のように考え方をふくらませてみよう。


対象を変えることはできるか？：既存顧客、新規顧客以外への使い道はあるだろうか？

例えば、社内の他部署とのつながりで活かせるか？　取引先との間で活かせるか？

誰かに伝えることはできるか？：部下や同僚だけでなく、上司や顧客に伝えることはできるか？

組織化することはできるか？：個人としての専門性から、組織としての専門性に昇華させることはできるか?

このように考え方をふくらませていけば、そこに新しい職務が見えてくることがある。それこそがまさに、次の章で示す、新たなプロフェッショナルとしてのキャリアの一つだ。社会人としてのキャリアを積んでくると、どうしても自分の専門性を自分だけのものにしたくなる。それ自体は決して悪いことではないが、これをきっかけに発想をふくらませてみよう。そうすれば、自分のできることが意外に多いことがわかる。

ある人事課長のキャリアの棚卸しから新しい課が生まれた

とある会社での、人事課長の例を示そう。

その会社の人事課には2人の課長がいて、専門性においても特に差がないように見えた。やがて人事改革を進める中で組織再編の必要性がクローズアップされてきた。少なくとも、人事課に複数の課長がいることはおかしい、と指摘されたのだ。

私が人事部長に相談されたのは、そのうちのひとり、年配の人事課長の処遇をどうすべきかという問題だった。単純に考えれば、課長から外せばよい。ただそれだと給与も下がるし、何よりも彼の専門性がもったいない。どうすればいいだろうか、という相談だった。

ちょうど人事制度改革においては、複線型を廃止して、職務主義に基づく職務等級制度を導入するタイミングだった。であれば、彼に対して新たな職務を付与する選択肢もある。

組織論の原則に立てば、会社としての必要性に応じて組織設計すべきだ。そして人事課が一つなのであれば、課長は1人にして、もう1人は降格するか別部署に異動するべきだ。

しかし彼は有能な人材だったし、専門性も人事に特化していた。

組織は戦略に従うべきだが、戦略は人材に従って設計する場合もある。となれば人材の有無が戦略を定め、組織を定める場合もあるのだ。現実の企業では、むしろその方が多いくらいだ。

そこで年配の課長に対して、人的資本の棚卸しを、社会人生活後に限定してお願いした。

その結果わかったことは、彼の専門性におけるストーリーが、事業部門従業員のモチベーションとスキル向上に特化できるということだった。彼の専門性は人事に特化していると思われたが、過去に二度支店勤務になったことがあった。当時の支店運営は複数事業を統括するもので、彼はそれぞれの支店で実質的に、現場目線での人事企画担当として活躍していた。その際につながっていた同僚たちは今やさまざまな事業部門の課長や次長クラスで、今でも交流があることがわかったのだ。

そこで事業人事企画課が新設され、彼はそこの課長として就任した。今まで本社のデスクに張り付いていた彼は、新しいポストについてからは各事業部との連携を密にし、細かいニーズを吸い上げながら、個別の詳細な改革を進めるようになった。もちろん会社としての収益性にも具体的に貢献するようになった。

「あなたの年収は、あなたの友人たちの平均年収に近い」を検証する

俗説としていわれていることがある。

「あなたの年収は、あなたがよく交際している友人たちの平均年収に近い」

俗説ではあるが、これは真実だ。特に交友関係が会社の中だけに限定されている人において、その傾向は顕著にあらわれる。

いつも部下を引き連れて飲みに行っている課長の年収は増え続けているだろうか？　課長同士でよく交流している人たちのほうが少しはましだろう。さらに言えば、部長や取締役と親しくしている、あるいは叱責されながらもくらいついていっている人の方が、出世して年収が増えているのではないだろうか。

あなたの周りを見渡してみて、その交友関係を想像してみよう。

さらにこの俗説を外部に向けると、はっきりしたことがわかる。

取引先の、役職が下の人たちと親しく付き合っている課長と、取引先の社長や役員たちと親しく付き合っている課長のどちらがその後出世するだろうか？

俗説を聞いて頷く人もいれば、否定する人もいる。感情的に否定したくなるのは、そこに「友人たち」という定義があるからだ。

友人を、年収やその前提となる社会的な成功度合いで測ることはいかにも卑しい話だ。しかし友人ではなく、ビジネス上の関係に限定してみたとき、この俗説に信憑性があることがわかる。ビジネスでつながっている人の年収の平均が自分の年収になる、と考えてみれば納得性が高い。

知人の平均年収は、あなたが所属する〝チーム〟の価値である

p159の人的資本の棚卸し表をあらためて見直してみよう。そして、最近のつながりの中で、ビジネスに限定して、それらの人たちの年収を推測で記入してみよう。

もしその平均値が今のあなたの年収よりも多ければ、とりあえずは安心だ。

しかしもし、今の年収よりも低い数値になってしまったら、あせるべきだろう。現状のビジネスでの交友関係は、あなたにとってマイナスの影響を及ぼす可能性が高いからだ。

それは、つきあっている人たちのレベルが低いということが問題なのではない。その人たちとのつきあいに甘んじていて、部下に権限移譲をしていなかったり、上位者の視線を持てていないあなたの今の状況がまずい、ということだ。

第3章で、価値はつながりから生まれるということを説明した。そしてつながりには二種類があるということも。

第一が、限られたメンバーの中での「強いつながり」。

第二に、開かれた関係での「弱いつながり」だ。

第一の強いつながりは、価値の源泉だ。

プロスポーツでたとえるなら、公式の一軍に選ばれていることが強いつながりができている状態だ。

プロの一軍として見たとき、そこにレベルの違う人が存在していることができるだろうか。フォワードは一流だが、ミッドフィールダーやゴールキーパーが二流であるサッカーチームが勝利することは難しい。

野球であれば、ピッチャーだけが一流でもなんとかなることはある、と思うかもしれない。しかしそれが可能なのはアマチュアである高校野球までだ。プロ野球になったら、とても勝つことはできない。

年収の俗説は、あなたが持っている強いつながりの価値をあらわしている。

バーチャルなあなたのチームが、どんな価値を生み出せるのかという基準が年収の平均値と考えてもいいだろう。

部下を引き連れて飲むよりも、話が合わない年上に混ざり込む

もしあなたが「あなたの価値＝年収を高めたい」のであれば、ビジネスの付き合いで、一人ひとりのランクを高めていく必要がある。それは関係性を切り捨てるということではなく、あるべきつながりになるように、関係性を再構築するということだ。

例えば、取引先の担当者とばかり話をしているのであれば、その担当者との交渉は自分の部下に任せてしまおう。そうして、担当者の上司が来るときにだけ顔を出すようにしよう。少なくとも、その上司があなたに会うべき理由をつくっていくように行動した方がよい。

社内会議であれば、ランクが下の人たちの会議には権限移譲をしていこう。あなたが出席する際には意思決定のみとし、会議時間の短縮を図る。そうして余った時間を使い、上司たちが集まる会議に積極的に出席していこう。

部下を引き連れて飲みに行くのではなく、部下たちを早めに帰らせて、彼ら同士が飲みに

行ける機会をつくろう。そしてあなたは、気が向かないかもしれないが、5歳、10歳年上の、話が合わない上司たちに混ざり込んでいくべきだ。

強くつながっている相手のレベルを引き上げていくことは、自分自身にとっての成長のきっかけにもなる。そもそもあなた自身が、相手から「あの人とつながりたい」と思わせる存在でなくてはならないからだ。

だからこそ、強いつながりをつくろうとする取り組みには大きな意味がある。あなたの価値は、あなたが持つ人的資本によって決まる。そして、人的資本はあなたが持つ強いつながりによって、さらに増大する。高いレベルの強いつながりを一つ増やすごとに、人的資本はより大きくなる。そうすれば、より高いレベルのつながりを獲得しやすくなる。

この仕組みは、貧乏な人がお金持ちになることは難しいが、お金持ちはさらにお金持ちになりやすい、ということとよく似ている。[15]

---

15 ダンカン・ワッツ（2004）『スモールワールド・ネットワーク 世界を知るための新科学的思考法』阪急コミュニケーションズ

お金がお金を生むように、強いつながりはさらなる強いつながりを生み出していく。

弱いつながりはビジネス上のセレンディピティをもたらす

強いつながりは価値の源泉だ。では第二のつながりである、弱いつながりはどうだろう。第3章に記したように、弱いつながりも価値を生み出す。

ただし、その生み出し方は確実ではなく、段階的でもない。その代わりに、強いつながりよりも大きな変化を引き起こし、強いつながりからは生まれないような大きな価値を生み出すことになる。

ビジネスにおける弱いつながりとは、単なる知り合いのことではない。

前提として、その人と知り合っているのがあなただけ、という状態だ。

例えば、新しい見込み先から問い合わせを受けたとしよう。窓口になったのがあなたで、社内では相手の会社と面識のある人はいない。結果としてその会社との間でビジネスにならなかったとしても、あなたにとってその会社の担当者との関係は、弱いつながりだ。

弱いつながりを増やすことでチャンスを得やすくなる

価値の源泉としての強いつながり、きっかけとしての弱いつながり

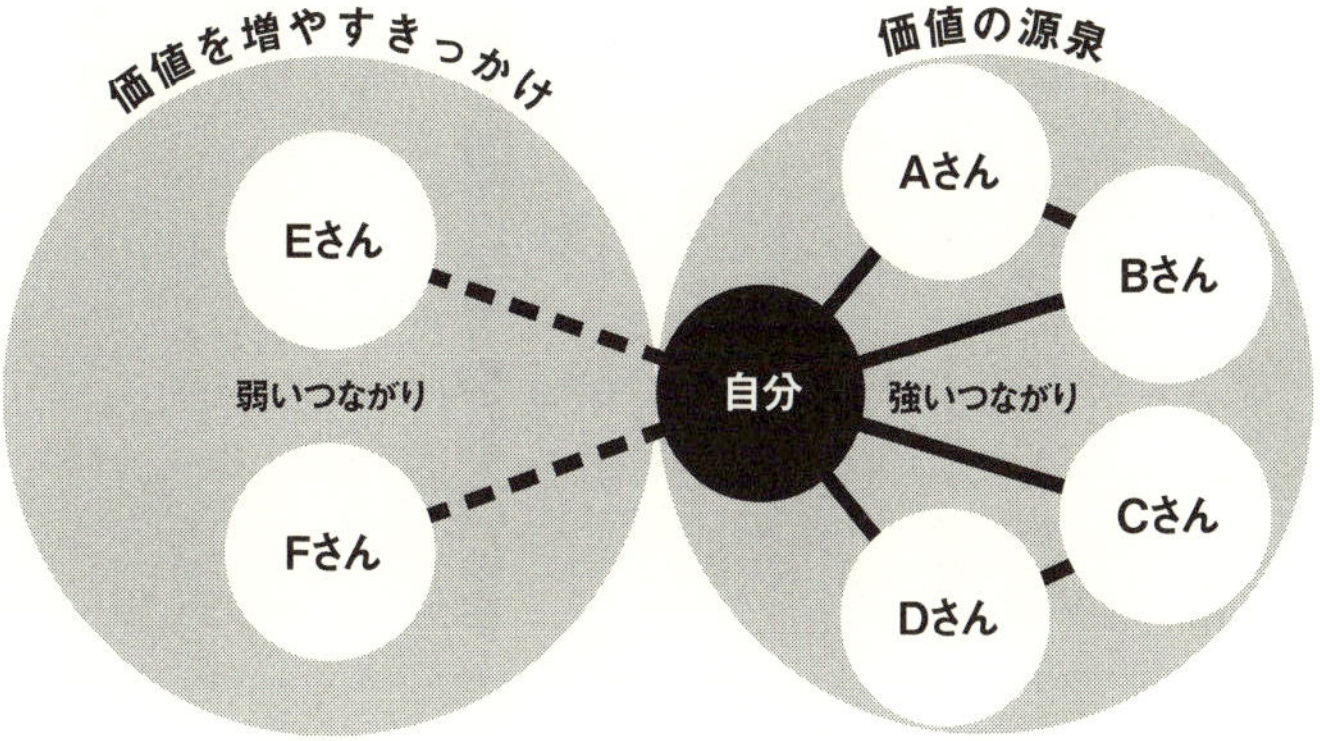

弱いつながりにならない例は、例えば、長年付き合いのある取引先と軽く知りあうような場合だ。あなた以上に深いつながりを持つ人が社内にいれば、強いつながりにすらならないだろう。

弱いつながりとは、相手側が持つ強いつながりとの窓口として、あなたが認識されている状態だ。どんなビジネスパーソンでも、強いつながりは必ず持っている。その強いつながりとしてのネットワークが、他のネットワークにつながる唯一の点になることを目指す。それが弱いつながりを増やすということだ。

弱いつながりから生まれる価値は、確実

でもなく段階的でもない。

それは偶然のチャンスと言い換えてもいい。

しかし幸運と思われる人は、実はこの偶然に助けられることが多い。そして偶然の幸運は、手に入れやすくすることができる。[16]それが弱いつながりを増やすことだ。

今後10年間の間に幸運をもたらす〝青い〟つながり

多くのビジネスパーソンは、もちろん強いつながりを持っており大事にしているが、意外に弱いつながりを意識していない。

棚卸しした人的資本を見直してみよう。

そのつながりの部分にマークをつけてみてほしい。

強いつながりは、赤いマーカーで目立つようにする。

そして、他のつながりの中で、強いつながりにある人や組織とつながっていない者だけを選んで、青いマーカーで目立たせよう。

そうして確認してみると、赤いつながりは多いが、青いつながりはそれほどでもないことに気付くだろう。あるいは、そもそも青いつながりになりそうな人を、人的資本棚卸しシートに書いていないことに気づいたかもしれない。

典型的な弱いつながりには、例えば数年に一度会う友人たちや親戚などがある。あるいは、過去のビジネス上の取引先。特に先輩から引き継いだ後、その先輩が退職しているような場合だ。それ以外にも、あなただけが窓口となっている他のネットワークとのつながりは数多くあるだろう。５年も10年も連絡をとっていなければ、それらのつながりには消えてしまっているものもあるだろう。

でも、メールやSNSなどで軽く連絡をとってみることはできる。ご機嫌伺いの電話でもいい。そうして消えてしまっていたつながりを、弱いつながりとして復活させてみよう。今増やした弱いつながりは、これからの10年間に、幸運をもたらす人的資本になるのだから。

16　J・D・クランボルツ、A・S・レヴィン（２００５）『その幸運は偶然ではないんです！』ダイヤモンド社

自分自身の弱いつながりを確認するために、次のような関係をあらためて見直してみるとわかりやすいだろう。

学生時代のつながり：同期だけでなく、先輩、後輩、教官、他校の友人
社内のつながり：同僚、上司、部下
職業としてのつながり：取引先、顧客
専門性としてのつながり：同業の知人、学会
交友としてのつながり：紹介された友人・知人、ＳＮＳ、交流会
親族としてのつながり：家族、親族

社外に目を向けることで社内での価値が高まる

もしあなたが転職経験者であれば、人的資本の棚卸しという作業が、職務経歴書の作成に近いことがわかっただろう。

職務経歴書を作成するよりも楽しい作業だったとは思うが、人によっては「意外と書けることがない」と思ったかもしれない。しかしそう考えた人ほど、このタイミングで自分の人的資本の棚卸しができたことを喜ぶべきだ。

人事制度の取り組みの一つに、キャリア研修というものがある。45歳、あるいは50歳というタイミングで従業員を集め、自分の過去の経歴を棚卸しさせる研修だ。そうして、今後の会社の中でのキャリアを考えさせようとする取り組みだ。会社によってはこのタイミングに合わせて、早期退職の希望を募ることもある。50歳の現時点で退職を選ぶのであれば、今から半年間は出社しなくても月給は支払います。さらに、退職金を500万円加算しますよ、だから第二の人生を歩んだらいかがでしょうか、在籍している状態のままで転職活動をしてみてはどうでしょうか、という提案がこっそりと用意される。

実は「人的資本の棚卸しシート」は、過去に実施したキャリア研修時の記入シートをもとに作成した。

会社の中の人生は40歳で転機を迎えるが、そのことを説明してくれる人は少ない。なぜなら、会社としてはそこから10年間を頑張ってほしいからだ。40歳で課長にまで昇進させているのだから、ぜひ結果を出してほしい。活躍してほしい。しかし、その中の3人に2人は部長にはしない。さらに部長になったうちの3人に2人は執行役員にも取締役にもしない。そんなことを言うわけにはいかないので、人事評価制度を用意して、活躍に対して昇給や賞与で報いる。

やがて気づけば多くの人が、部長にも、執行役員、取締役にもならないまま、50歳、55歳になってしまう。そしてキャリア研修に呼ばれて愕然とする。あるいは役職定年をほのめかされて、会社の制度を非難するかもしれない。

50歳や55歳でも、そこから新しいキャリアを考えることはできる。しかし、選択肢が狭まることは事実だ。

さらに、人事制度を前提とすれば、60歳が次の転機であることがわかる。ごく一部（大企業で10社に1社、中小企業で5社に1社）を除けば、60歳を定年としている会社が大半だからだ。

とはいえ、無理に転職を選ぶ必要はない。人的資本の棚卸しをして、会社の中での昇進以外の選択肢を視野に入れることは転職ではなく、むしろ社内での働き方を変えるきっかけにもなるからだ。

さらに、人的資本の棚卸しから始まるここまでの作業を終えると、逆に課長から部長への昇進を目指す道のりが見えることもある。

例えば、製造部門の品質管理担当課長である人がいた。

社内で出世するには、本社の品質管理部に戻り部長を目指すか、あるいは製造部門で工場長となり、製造部長を目指す選択肢しかない。でもそのためには現在の部長よりも深い知識と見識が必要で、それはとても難しいと漠然と考えていた。サイドビジネスでもしようか、と考えているころに、私の前著を読み、問い合わせのメールをくれた。私は彼に対して人的資本の棚卸しを指示してみた。

その結果、彼は本社の品質管理部長に昇進できる可能性があることに気づいた。重要なことは知識や見識ではなく、品質管理部としての職務を果たすための、各部署とのつながりであることに気づいたのだ。

そして、彼の同期たちが今や各部署で課長級として活躍していることを思い出した。今働いている工場の中だけで品質管理を徹底するのでなく、そこで得られた品質管理の標準化プロセスをもとに各部署への情報共有を進めることで、同期達とのつながりを深めることができるだろう。それは自分自身の強いつながりとなり、他の工場の品質管理担当課長よりも抜きんでるための具体的な行動になる。

今の部長が持っているつながりは、彼自身が部長に選ばれるときには価値を生み出さないものになっているかもしれない、ということにも気づくことができた。

次の世代の部長候補たちは、ちょうど彼の年代あたりになるからだ。

今、彼が課長として築く強いつながりは、10年後に会社としての価値を生み出す強いつながりになり、それ自体が彼の人的資本となるのだから。

重点商品の製造メーカーから担当者が挨拶に来ると聞いたのは、翌月になってからだった。綿密なマーケティングに基づき予定通りの納品がされ、この四半期の売上目標達成に大きく貢献してくれた商品だ。金剛の課でも目標を大幅に超えたが、三笠の怒りを買った以上、良い評価は期待できない。

あれから何度も営業会議で顔を合わせているが、三笠が金剛と視線を合わせることはなかった。今月になると会議にも顔を出さないようになり、加賀の仕切りのもとで、粛々と議事が進められるようになった。

同期が上司になる、と聞き、やりにくくなるだろうと想像していた。しかし加賀は上司風を吹かせることもなく、年上の課長や課長代理にも丁寧に接している。

こういう性格の奴だったかな。昔はもっといいかげんな奴だったと思ったが。

そんな同期の変化を受け入れるだけの余裕が金剛にも生まれていた。その余裕は、あきらめとセットになっているものではあったが。

一度、評価をあきらめてしまうと、思いのほかに周囲が見えるようになった。

まず、他の営業課長たちの顔が良く見えるようになった。以前は競争相手として睨みつけ互いに、俺が俺が、と競い合うように主張しあったものだ。相手の意見はつぶすために聞くもので、話の腰を見事に折ってやったときにはすっとした。

しかし今は、話を最後まで聞いてみる気になった。そうしてみると、お互いに協力し合えることもあることがわかった。年次は違うけれども、営業部の課長同士で飲みにも行ってみた。あえて先輩、後輩、ということを意識しないように接してみると、先輩とも対等に議論ができたし、後輩から学ぶことも多かった。

受付からの連絡を受けて、青葉係長を連れて取引先が待っている応接室の扉を開くと、そこにはいつもの担当と、見慣れない顔があった。

「このたびは、弊社の製品を売り切っていただき、誠にありがとうございます」

深々と頭を下げるその人物の名刺を見て、金剛は一瞬たじろいだ。

――代表取締役社長

名刺に書かれている役職はとても営業課長の金剛が対応できる相手ではない。

「こ、これはご丁寧にありがとうございます。常務の三笠を呼んでまいります」

「いいえ。金剛課長。今回はあなたにお礼を申し上げたくて参上した次第です。逆に、三笠常務は弊社商品を排除しようとされたとか」

「い、いやまぁ」

とりあえず形だけのあいさつを交わし、居心地が悪くならないうちに帰っていただこうと考えた金剛だったが、しばらくすると話にのめりこんだ。今売れている商品だけでなく、来期に向けての商品展開の予定や、最新の同業他社動向の話など、興味深い話が次から次へと聞けたからだ。「そろそろお暇しないと……」と、先方の担当が言い出すまで、金剛の方が逆に引き留めてしまうほどだった。

「課長、ちょっと変わりましたね」

応接室を出てから、青葉が微笑みながら金剛に言った。

「そうか？　まあずいぶん引き留めてしまって、申し訳ないことをしたかな」

「変わったんじゃないですか。以前なら、取引先にはもう少し上から目線でしたよ」

そうだったかな。そうだったかもしれない。でも、まあどうでもいい。

そういえば、以前と今とどっちのほうが、部下にとって良い課長なんだろう。

そう聞いてみようと考えたときには、青葉はもう自分の席に戻っていた。

三笠が急遽役員を退任することになった、と聞いたのは、数日後の夜だった。

赤城と待ち合わせていたスナックに、なぜか加賀も顔を出していた。

「コンプライアンスにひっかかっちゃまずいよね。せっかく扶桑部長と一緒に俺をひきあげたのに、それがあだになっちゃったよね、あの人」

そんな加賀の言葉を、不思議な気持ちで聞いていた。あの時、金剛が三笠の言う通りにしていれば、彼は退任しなかったのだろうか。それとも、自分も連座責任をとらされたのだろうか。

加賀と金剛のやりとりをよそに、赤城はあいかわらずグラスを空け続けていた。

「言われた通りやってみたよ」

「そうか。周りが変わって見えただろう」

「ああ」

金剛もロックでそそぎ、一気に飲み干した。

「でも、出世が遠のいた気しかしないけどな」

「そんな生き方もあるってことさ。嫌な感じはするかい」

考え込もうとしてみた。でも、結論はここに来た時点で出ていた。

「いや、悪くない」

そう言いながら、赤城からもう一度ボトルをうばって、自分のグラスに注いだ。

S　C　E　N　E　5

周囲の変化

第6章

レースの外で、居場所を確保する方法

組織内プロフェッショナルという生き残り方

社内プロフェッショナルになるという生き方

課長≒40歳からのキャリアの選択肢として、プロフェッショナルがある。課長から部長に昇進を目指さなくても、社内のプロフェッショナルになろう、という生き方だ。

実際に多くの企業では、年齢や役職を問わず、ビジネスパーソンはすべからくプロフェッショナルを目指すべきだというメッセージを発信している。

グローバルに展開している企業の経営幹部に、求める人材像を聞いてみると、プロフェッショナル、という言葉が必ず含まれる。若くても年をとっていても、一業務機能の担当者であってもゼネラルマネジャーであっても、プロフェッショナリティが必要だ、と熱く語られる。

そもそもプロフェッショナルとはなんだろう。

漠然とした言葉として捉えると、プロフェッショナルとは専門性があって、それを周囲に認められている。そんな存在として想像できる。

ドラッカーはプロフェッショナルについて「知識社会では、専門知識が、一人一人の人間の、そして社会活動の中心的な資源となる」として、プロフェッショナルが生産性を高めるうえで重要な3つのポイントを、「目的を定義すること」「目的に集中すること」「仕事を分類すること」としている。[17]

つまり、**専門性を前提として目的を達成できる人がプロフェッショナル**、ということだ。

そんなプロフェッショナルにも個人としてのプロフェッショナルと、組織内のプロフェッショナルとが存在する。

独立した個人としてのプロフェッショナルという生き方はわかりやすい。例えば各種資格職（税理士、弁護士など）や、ライターやWEBデザイナーといった人々が個人として活動していることはよく見かける。音楽家や作家などのコンテンツを生み出す人たちも、個人としてのプロフェッショナルとして理解しやすい。

一方で、組織内のプロフェッショナルについてはどうだろう。

17 P・F・ドラッカー（2000）『プロフェッショナルの条件』ダイヤモンド社

ある考え方では、組織内ではプロフェッショナルがプロフェッショナルじゃなくなってい
く、というものもある。デ・プロフェッショナリゼーション（プロフェッショナル性の排除）
により、専門性としての目的の明確化をしないようになり、組織のニーズに合わせた作業者
になってしまうというものだ。経理財務部にいる公認会計士や、法務部に所属する弁護士な
どが、転職先に会計事務所や弁護士事務所を選べなくなるような状態だ。[18]

とはいえ個人であったとしても、組織に属していたとしても、明確な専門性がプロフェッ
ショナルの条件として必要だということはわかる。

しかし、会社組織の人事の現場においてプロフェッショナルを定義しようとしたとき、専
門性などの条件だけでプロフェッショナルを定義できなくなることがある。

収益に貢献しない有名プロフェッショナル社員は会社で価値があるか

とある会社でプロフェッショナルを定義しようとしたとき、さまざまな学術的な定義では
とても運用ができなかった。学術的な定義に従えば、プロフェッショナルとは、高度な専門

知識を有していて、高い倫理観を持ち、自発的・自律的に活動できる人、というようになる。しかしその定義では、会社という組織の中で、高い給与を支払うべき対象として使えなかったのだ。

その会社で人事制度を設計するとき、あるプロフェッショナルの処遇が問題になった。彼は高いレベルの有資格者であり、同じ専門性を持つ人たちの多くに名前を知られていた。複数の国際学会に属し、多くの論文で高い評価を得ていた。

しかし彼は、会社の収益にまったく貢献していなかったのだ。学術的な定義に従うなら、彼は世界有数のプロフェッショナルということになる。しかし会社として彼を高給で処遇する理由がつかない。

かろうじて、「彼にあこがれて入社してくる新卒が複数いる」「彼の名前をプロジェクトに記載しておくことでクライアントからの信頼感が増す」というような条件を模索したものの、経営層の間での合意は得られなかった。

---

18 Stephean R. Barley（1966）“The New World of Work”

最終的な結論として、プロフェッショナルの定義に次の一文を加えることになった。

プロフェッショナルとはその専門性をもって、**具体的な収益価値を生み出す職種**。

プロフェッショナルを概念的に捉えるのならばこの定義はいらない。しかし組織の中で存在価値を認めて処遇するのであれば、どうしてもこの定義が必要になったのだ。

幸か不幸かこの会社のその人物は、新人事制度の発表を待たずに退職した。有力大学が彼を高いポストで迎え入れたのだ。もし彼がそのまま在籍していたとして、収益に貢献してくれるようになったのかどうかはわからない。

人事制度はプロフェッショナルをどう処遇するか

企業側としては年齢や役職によらずプロフェッショナルであることを求める。では、人事制度としてプロフェッショナルを処遇する仕組みはあるのだろうか。

課長になれなくても"課長級"

プロフェッショナルに用意される昇進の仕組み

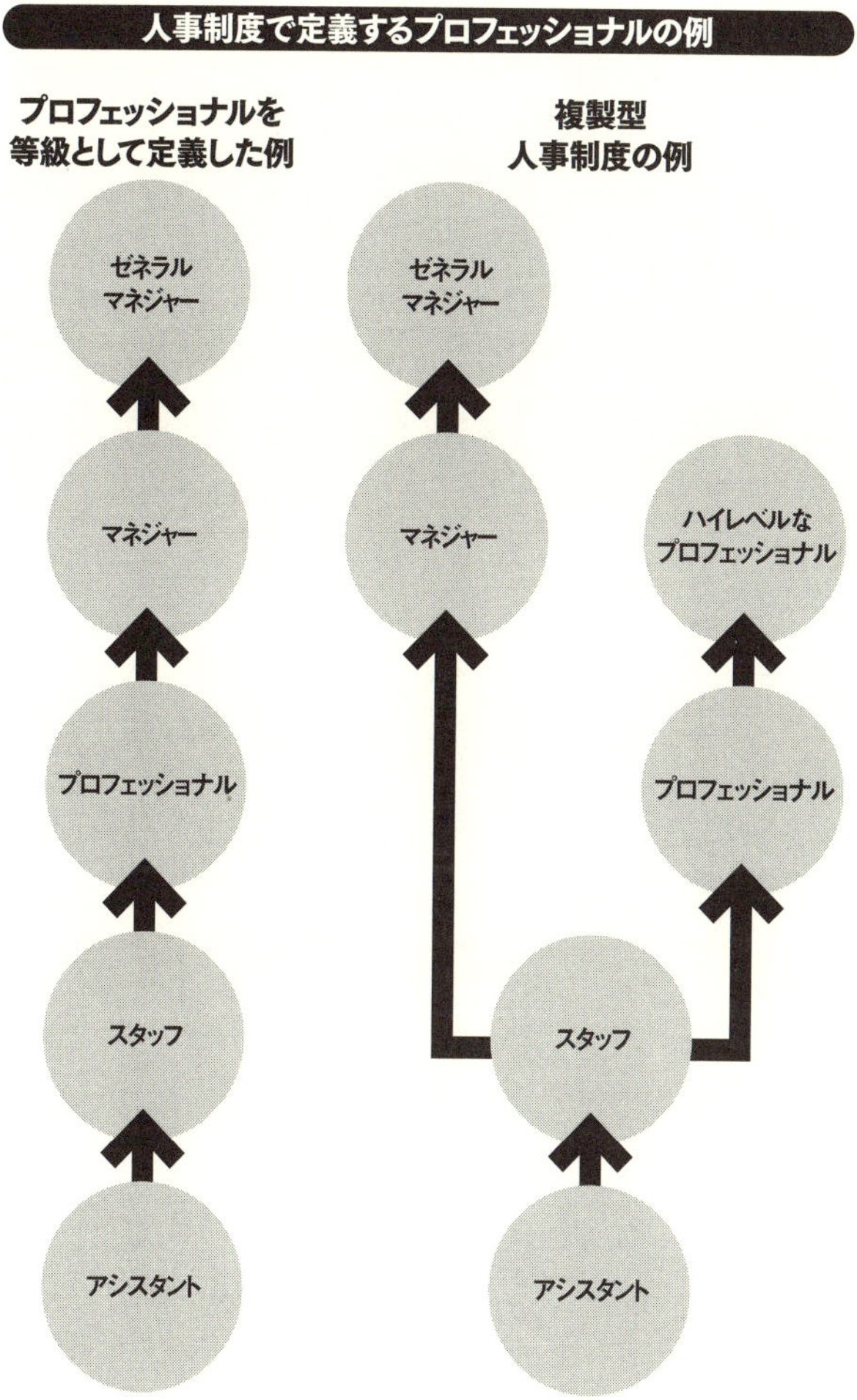

制度としての一例に、管理職になる手前の層をプロフェッショナルということがある。キャリアの目標としてまずプロフェッショナルになることを目指しなさい。そうしてその中から、マネジメントスキルを獲得できた人を管理職に昇進させましょう、という考え方が背景にある。

あるいは複線型人事制度という仕組みがある。課長や部長になれなくても、専門性を発揮することを期待されるポストを用意して、そこに昇進させていく仕組みだ。この時のポストに対して、プロフェッショナルという定義をすることがある。

こう説明するとこれらはとても良い仕組みのようだけれど、かつては違った。むしろ、課長になれない人や部長になれない人にも、そこそこの給与を渡して活躍してもらうための仕組みだった。

それが、プロフェッショナルに対する人事制度の現実だった。当時の人事制度のウラ事情を暴露してしまえば、課長になれない「手前層」の人たちが増えすぎて、彼らに対しての処遇が難しくなったことがある。

管理職手前層をプロフェッショナルといっていたのは、管理職としての給与額は払えないけれど、プライドとモチベーションを持って働いてほしかったからだ。さらに、「プロフェッショナル」というと結果責任も求められるようなイメージが湧く。高い評価をつけるときも、低い評価をつけるときも、プロフェッショナルとしてふさわしいかどうか、というとなんとなく納得しやすい面もあった。

複線型人事でいえば、あなたは正規の管理職ではないけれど、専門職（＝プロフェッショナル）として高く処遇しますよ、ということを名目にしていた。そして専門職も課長「級」なので、管理職です。ポストさえあけば、管理職になれます、と言っていた。

しかし同じ課長級であっても、正規の課長と、専門職としての課長級とで、給与水準は違った。課長級であればその差は年収で数十万円程度の違いだけれど、正規の部長と専門職部長級だと１００万円以上の差がつくことだってあった。人事評価の結果はそれほど変わらなくても、だ。

あるべき形で専門職を正しく処遇すると、場合によっては社長よりも高い給与を支払わなくてはいけないこともある。その典型がファンドマネジャーや研究者だ。彼らに対して、資産運用の対価や特許取得の対価を市場水準に合わせて支払うと、会社が赤字になることすらある。それでも、会社を赤字にしたのは経営者の責任、専門職の責任はそれぞれの分野で発揮しているので、成果に対しては市場水準の対価を支払うべきだ、という判断もある。

しかしそんな人事制度を導入している企業は皆無に近かった。数百億円の利益を生んでくれた研究者に支払う年収が８００万円、なんて企業だって当たり前だ。その理屈としては、彼は研究者としては優秀だけれど、管理職に不適格だ、だから課長より低い給与しか払えない、というものだった。あるいは、彼はこの会社という下地がなければあんな研究成果は出せなかった。だから彼は作業者にすぎない、というものすらあった。

だから、見せ掛けとしての複線型人事を用意していたのだ。

それに、働いている専門職側でも、報酬に不満があっても転職はなかなか難しい。定年まで雇用してもらえるんだから、低い対価でも我慢しておく、ということもあった。

プロフェッショナルの処遇は今、変化しつつある

今ももちろんそういうウラ事情は残っているが、職務主義概念が広まる企業では、少し状況が変わりつつある。状況の変化は会社の中と外でそれぞれ起きている。

会社の中の変化としては、職務主義によって、専門職にも正当な対価を支払うようになっているということだ。管理職、というひとくくりでの定義から脱却しつつある企業もある。

そもそも日本における管理職の定義には、業務における裁量度などの要件もあるが、組織要件として「部下の有無」を設ける会社が多い。例えば、部下6名以上20名までの管理職であれば課長、21名以上50名までを次長、51名以上あるいは、複数課をまたいだ上席ポストを部長とする、と定義する会社もある。この会社の場合、部下が5名以下の場合、課といわずチームとして定義する。

一方で職務主義が浸透している欧米では、部下がいないマネジャーも一般的だ。例えば法務担当マネジャーは管理職だが、部下は事務の派遣社員1名ということだってある。職務主義に基づくなら部下の有無ではなく、ポストとしての責任度合いに応じた処遇をすることになる。となれば、わざわざ複線型人事制度を導入せずとも、重要なポストに就いていれば課長とすることだって可能だ。

また、一律の課長としての処遇をする必要もない。職務主義ではジョブグレードという概念を用いて報酬額を定義するが、ある課長はジョブグレード8で年収900万円。別の課長はジョブグレード11で年収1300万円、という運用もできるからだ。

職務主義を導入する会社であれば、あなたが専門性を伸ばしてゆけば、それに見合ったポストと報酬を用意してくれる可能性は高い。部下の数や、マネジメント責任、といったものさしで処遇される割合は低くなる。部下がゼロだろうが100人だろうが、稼いでいる金額が一緒なら、むしろ部下が少ないほうが高く評価されてしかるべきだ。真にプロフェッショナルを処遇するには、職務主義に徹したほうが納得性も公正性も高いのだ。

転職が身近になったことで専門性は認められやすくなった

会社の外の変化としては、転職が容易になってきたことがある。

堅苦しく言えば、労働市場が整備されてきた、ということだが、個人が持つ人的資本の価値が認められやすくなってきたということでもある。

わかりやすい例がファンドマネジャーだ。高い資産運用実績をあげてきたファンドマネジャーであれば、このままその会社にい続けて手に入れられる価値と、転職して手に入れられる価値とを天秤にかけることができるようになっている。2006年データになるが、国内系のファンドマネジャーの平均年収は約1300万円であったのに対し、外資系では2500万円だった。[19] 同じ仕事をしていてもそれだけの年収差がある。ただし、国内系だと名目的にも終身雇用が保障されているが、外資系だと結果を出せなければクビになる。それらを比較して、最終的に転職を選ぶかどうかは個人の判断次第だが、顧客を持ったまま転職するファンドマネジャーは数多くいる。

ファンドマネジャーや研究者のようなわかりやすい専門性ではない人たちについても、専門性の定義が明確になりつつある。社内の特定部署で専門性を高めていけば、その専門性を求める他社からのヘッドハンティング対象になっていく。

また、つながりも大きな価値を持つ（本書では「つながり」も人的資本に含めているが、実はこれは社会関係資本という別の概念だ。個人が価値を生み出す源泉という意味で共通で

19 平康慶浩（2007）『ファンドマネジメントのすべて』（第一部第二章）東京書籍

あることから人的資本に含めている）。転職に際しての感覚でいえば、「あなたを引き抜けばチームごと来てくれますか」「顧客や取引先はどれだけ連れてこられますか」ということになる。だから、つながりが多い人ほど労働市場での価値は高まる。

社外の変化の影響は、社内の人事制度に対して市場価値概念を求めはじめたという点につきる。終身雇用で守ります、和を重んじる組織風土を維持します、といったところで、あまりに市場価値からかけはなれた処遇しかできない人事制度では、本当に専門性の高いプロフェッショナルを採用し続けることは難しくなっているのだ。

だからこそ、プロフェッショナルを社内で処遇する人事制度が必要になっており、そのニーズからも、職務主義は広まらざるを得ない。

上司が部下の専門性を評価できないケースも

ただし、プロフェッショナルを処遇するための人事制度では、新たな問題も生じる。

それは、個人のプロフェッショナリティを誰が確認できるのか、ということだ。

研究者のように、上司も部下も同じ専門性を持っていれば、プロフェッショナリティを構成する専門性は比較的評価しやすい。機能部門でもそうだ。経理でも法務でも人事でも、上司が部下の専門性を評価することに苦労しないことが多い。

しかし、こんな事例もある。

技術士の有資格者によって構成されるある会社で、上司が部下の専門性を評価できないという問題が起きた。

技術士という資格は、実は単一のものではない。建設部門だけをとってみても、土質や鋼構造、河川、電力、トンネルなど、専門分野は多岐に分かれる。

この会社で起きたのは、上司は河川分野で技術士だが、部下は電力分野の技術士である、というような状態だった。たしかに2人でチームを組むことで、水力発電についての設計作業が可能になる。実務上はそれぞれが対等な技術者だった。しかし上司が部下に対して相手の専門性を測るには、その分野についての十分な知識が必要になる。

結果として、上司と部下との専門分野が違う場合に、その部下の評価が高くなりすぎるとことが頻発したのだ。

この状態を人事評価では対比誤差といい、代表的な評価エラーの一つとして問題視する。つまり上司がよく知っている専門性については部下を適切に評価するが、よく知らない専門性についいては甘く評価してしまうような状態だ。自分ができないことができる部下は優秀だ、としてしまう上司に問題があるという考え方だ。

プロとして認められること＝人事評価で高い評価を得ること

同じようなことは普通の会社でも起きる。ＩＴに詳しくない部長がＩＴに詳しい部下を高く評価してしまうとか、商品知識が豊富な部下を、営業成績にかかわらず高く評価してしまう、ということがあるからだ。

そこで開発されたのが多面評価であり、三六〇度評価という仕組みだ。一説では、ファンドマネジャーの専門性の高さを上司が評価できないので、ファンドマネジャー同士で専門性を評価してもらうようになったことが始まりとも言われている。

しかし三六〇度評価にも、人の好き嫌いや評判などにより適切な評価ができないという指摘がある。となるとやはり、ある人についての専門性を公正に評価することは難しいという結論に至る。

大学教授などの研究者については、専門性の評価について明確な標準ルールがある。代表的な仕組みは、特定の学会誌にどれだけの論文を掲載できたか、という数値指標だ。ハイレベルな学会誌に論文が掲載されるということは、少なくとも複数の専門家たちが彼の専門性を認めたという証拠になる。

プロスポーツ選手、特にプロ野球ではより詳細な指標を用いている。打率や防御率だけでなく、出塁率や長打率、その他の各種結果指標を用いて、専門性を評価しようとする。プロ同士の戦いの結果指標は、それ自体が専門性を評価する指標になる、というものだ。

そしてこれらはいずれも、結果を見てその人の専門性を測ろうとする仕組みだ。

となると、あなたが専門性を持っているということを証明しようとすれば、何らかの結果を出さなければいけなくなる。

ということは？

実はプロフェッショナルとして認められるということは、人事で高い評価を得ることと、限りなく同じ意味になってしまうのだ。

評価を意識せずに、専門性を認められる方法はないのだろうか。

プロフェッショナルとして成功するために、組織でどう働くか

組織の中で成功しているプロフェッショナルを見てみると、もちろん評価を気にする人もいるが、それ以上に評価を気にしない人のほうが多い。あえて昇進を選ばずに、自分が望む働き方を選択する人たちだ。これは結果として昇進する人たちと類似した行動であり、その本質は似通っている。

会社という組織の中で昇進していく人たちは、ビジネスの本質を常に意識している。そしてそれは自分自身の中にある揺るがない軸でもある。その軸に沿って行動しながら、彼らは多くのつながりから価値のあるものを見つけ出し、組織としての価値に転換してゆく。

一方、プロフェッショナルとして成功している人たちは、意識する本質をビジネスではなく、専門性に置いている。

研究者であれば、その研究によって生み出される価値そのものを掘り下げているのだ。

例えば、ある製薬会社で活躍する研究者たちは、自分自身の評価を気にしていなかった。もちろん研究者向けに特別な人事評価制度が用意され、単年度の成果に基づき評価しないということもあるが、研究部門責任者でもある最も優れた研究者が、人事評価ではなく研究成果そのものを常に意識していたからだ。

人事分野の優秀な専門家でいえば、短期的に評価されやすい人件費の削減やモチベーションの向上だけを意識するのではなく、その先にある企業という組織の中での人の働き方や、ビジネスモデルにおいて人材が生み出す価値そのものを意識して活動している人の方が専門性を高く評価されやすい。

これらは、経営層に昇進してゆく人たちと近しい行動だ。ただ、軸が異なるだけだ。

経営層に昇進してゆく人たちが、ビジネスとしての本質に軸を置いているのに対し、プロ

一流はつねに自分への問いかけを繰り返す
プロフェッショナルとトップになる人の共通点

フェッショナルは専門性の本質に軸を置く。**共通しているのは、本質に至る行動だ。繰り返される自分自身への問いかけがそこにある。**

繰り返される自分自身への問いかけは、自発的学習を生み出す。

本質を意識しながら行われる学習は、その先に使い道があらかじめ用意されていることがほとんどだ。ドラッカーの定義に戻るなら、「目的が定義されて」「目的に集中していて」「仕事として分類されている」状態だ。

そうして学習した結果が、経験により体得される。失敗して評価は下がったとしても、確実に専門性は高まっている。自発的学習と経験による体得を繰り返しながら専門性は高まっていくが、その繰り返しを可能にするものが、自己評価だ。

外部からの評価で専門性を測ることはとても難しい。しかし、自分自身でなら測ることができる。目指す本質と比べて、自分の専門性がどの段階にあるのか、ということは厳しい現実として理解できる。

優秀なプロフェッショナルこそつながりを大事にする

高度な専門家としてプロフェッショナルを捉えると、孤高な生き方をイメージするかもしれない。しかし、優秀なプロフェッショナルほど、多くの人とつながっている。強いつながりも、弱いつながりも、優秀なプロフェッショナルは数多く持っている。

プロフェッショナルが持つ第一の強いつながりは、まず社内での同じ専門性を持つ人たちとのものだ。どんな専門性であっても、個人で能力を発揮することは難しくなっている。チームとして活動することは効率的であり、専門性による成果そのものを高めてくれる。

専門性の中には職務分担もある。専門性が高まるほど、その領域が限定されてくるからだ。外部から見れば同じような研究でも、基礎研究と応用研究とがまったく異なるように、あらゆる専門性は分担することで生み出す成果を高めることができる。

さらにプロフェッショナルは、社外のプロフェッショナルたちとつながっている。強いつながりの場合もあれば、弱いつながりの場合もある。

同じ専門性を持つプロフェッショナル同士のつながりは、そのものがアイデンティティとして成立している。そして、強いつながりは成果を生み、弱いつながりはイノベーションを生み出していく。

プロフェッショナルの専門性は、社内の他部署とのつながりによってさらに大きな価値を生み出しやすくなる。

組織の中にいるからこそ、獲得できるつながりがあり、そのつながりによって得られる経験が専門性を高めるための自己学習を引き起こす場合もあるのだ。

会社に専門性を認めさせるためのテクニック

では具体的に、組織内でのプロフェッショナルという働き方はどういう選択肢になるのだろう。たしかに専門性の本質に軸を定めることができれば、プロフェッショナルとして成長し、活躍しやすくなる。

とはいえ会社の中でそれを認めさせるには、多少のテクニックも必要になる。現実に組織の中でプロフェッショナルとして生きるということは、部下のいない管理職としてのポストを獲得し続けるということに近い。

そのための条件は二つある。

明確な専門性があることが第一条件。プロフェッショナルを目指す人なら、この条件はクリアしやすいだろう。

テクニックが求められるのは**第二の条件＝ビジネスモデルに貢献する**ことだ。プロフェッショナルとしてのポストを獲得するには、プロフェッショナルとしてビジネスにどのように貢献できるのかを、わかりやすく示せなくてはならない。

「自分自身のためのポスト創出」が出世の道となる

とある会社の経理部門の例を示そう。

その会社の経理部門には、部長が1人、課長が2人、5人の係長に、3人のスタッフ、そして7人の派遣社員がいた。

課長2人はそれぞれ、入出金担当と決算処理担当に分かれていた。このうち、決算処理＝財務会計全般を担当していた課長が家庭の事情で退職することになった。そこで係長から誰かを昇進させることになったが、候補者は2人にしぼられた。

1人目は社歴20年になる40代のベテラン経理マン。前任課長からの信頼も厚く、社内の事情にも通じていた。

2人目は中途採用の33歳。ただし彼は税理士試験で複数の科目に合格していた。知識的には1人目よりも優れており、かつ社内的な評判も良かった。

最終的な経営層の判断は、1人目を次の課長に据えることだった。

さらに、この会社ではもう一つの判断をした。かねてより課題となっていた税務対策の必要性が高まっていたことが背景にある。そこで2人目の候補者のために、新たなポストをもう一つつくったのだ。名目的には財務課としたが、部下はいない。職務としては税務会計を担当する。もちろんそのための処遇も用意した。

33歳の課長は、たまたまそのポストを獲得したのだろうか。

実はそうではなく、彼はそもそも以前から、自分の専門性を税務において、その価値を認めてもらえるように部長に働きかけていたのだ。社長と打ち合わせする機会があれば、その後の雑談でとにかく税務の話をした。税務対策をすることがいかに企業収益に貢献できるのか、ということを常にアピールしていた。

一方で彼は、財務会計全般にまで専門性を広げる気はなかった。税務の勉強そのものが好きだったし、それは税金の仕組みが国家の本質であると考えてもいたからだ。彼の興味は企業内の税務だけでなく、税という仕組みそのものに向いていたのだ。

この例からもわかるように、組織内プロフェッショナルとしての生き方は、実はとてもアグレッシブだ。自分自身のためのポストをつくることを目指すのが組織内プロフェッショナルとしての生き方だからだ。

多くの会社で、このような「プロフェッショナルのためのポスト」がつくられている。職務主義の浸透は、部下のいない管理職を認めやすくし、会社への貢献度に応じた専門性を認めるようになる。

あなたがすでに課長になっているのなら、部長級ポストをつくることを目指すということもあるが、より現実的には、横滑り的なポストの創出がもう一つの出世の道でもある。最近ひんぱんに見る事例としては、人事課長から人材育成課長への異動、営業課長から営業企画課長への異動などだ。いずれも新設ポストで、かつ部下は極端に少ない。

そんな彼らは、プロフェッショナルとしての専門性を失わない限り、組織の中で活躍し続けることができるだろう。

係長の青葉に同行して営業先を回りながら、思わず足が止まった。見覚えのあるコート姿の女性が、少し離れたところで足をとめたからだ。隣で青葉が不思議そうな顔で金剛を見上げた。

金剛は口を開こうとしたが、うまく動けなかった。

コートの女性が少し微笑んだ。隣にいる青葉にも微笑みかけて、そのまま2人の方に歩いてきたが、黙って2人の横を通り過ぎて行った。

「あの……プライベートな関係の方ですか？」

「あ、ああ。まあ、昔、ちょっとね」

「昔なんだったら、聞きませんね」

そう言って青葉はそのまま歩き出した。金剛はその後ろを歩いた。そして、まだ20代だったころを思い出していた。

彼女と知り合ったのは、友人の紹介だった。たしかあれは、仕事に打ち込みながらもどこかもやもやとしていたころだった。営業でなかなか結果が出せず、評価も良くなかった。

知り合ってから数年間、彼女は金剛の心のよりどころだった。つらい時も彼女の笑顔に救われた。

しかしやがて営業がうまくいきだすと、逆にその笑顔に煩わしさを感じるようになった。

職種もまったく違った。彼女はフリーランスで小さな仕事ばかりをしていた。どんどん大きくなる金剛のビジネスとはいくつも桁の違う話ばかりで、話に興味も持てなくなった。

別れを告げたのは金剛だった。

「君と付き合っていても僕の得にならない」

最後に彼女がどんな顔をしていたのか、もう覚えていない。取るに足らない仕事ばかりしている、小さな存在にしか見えなくなっていたからだ。

久しぶりに見た彼女の笑顔は、昔と変わらないようだった。

もう一度、声をかければ何かが変わるだろうか。

そう考えて振り向こうとして、思わず苦笑した。さっき彼女とすれ違ってから、もう10分も歩いてしまっていたからだ。

目の前には次の営業先のビルがあった。

S　C　E　N　E　6

過去のつながり

「課長。しゃきっといきましょう！」

青葉の声にうなずいて、大きく伸びをした。

「ああ、この商談も大事だからな。クロージングに持っていけそうかい？」

「もちろん。そのために課長に同行いただいているわけですから」

「先方はどんな方が？」

「今までは係長ですが、今日は課長が同行されると伝えてあるので、課長が出てこられると思いますよ。うまく交渉、お願いします！」

「いや……クロージングも自分でやってみてくれ。フォローはする。君も課長への昇進候補になる年次だろう。頑張ってみよう」

一瞬きょとんとした顔に、金剛は微笑んでみた。

「君ならできる。安心しろ」

「は、はい。がんばります！」

20代の頃から、こんなふうに考えることができていれば、いろいろと変わったかもしれない。

そう思ったが、いまさらだ。むしろ、今変われていることを喜ぶべきかもしれない。

顔を紅潮させながら歩く青葉の隣で、そう思えるようになったことが嬉しくもあり、不思議でもあった。

S C E N E 6

過去のつながり

第7章

「求められる人」であり続けるために

会社の外にあるキャリア

バブル崩壊前まで、定年退職はハッピーなものだった

40歳からのキャリアを考えるとき、退職は切っても切り離すことができない。そして退職と言えば、まず定年退職が最初に思い起こされる。定年再雇用があたりまえになってはいるが、ほとんどの会社で60歳になると一度退職する。退職金をもらい、それから再雇用されるのがあたりまえになっている。

第4章に再雇用の仕組みについて書いたが、定年退職から再雇用に至るキャリアには、寂しさがぬぐいされないし、金銭的な不安も大きい。

バブル崩壊前までは、定年退職とはハッピーなものだった。組織を去る寂しさはあるが、潤沢な退職金や年金が保障されていて、第二の人生を歩むとか、老後を楽しむという選択肢が喧伝されていた。土地神話も存続していたので、ローンで購入した自宅の価値も上昇している。ストックとしての資産もあり、フローとしての年金もある。そして自由な時間が手に入ったので、有閑貴族さながらに過ごせる老後を描けた人たちがいた。

しかし現在（そして今後も）、ローンでの自宅購入はリスクが高い。場合によってはストックではなくデット（負債）だけが残ることもある。さらにフローとしての年金も潤沢ではないので、再雇用が終わった65歳以降もアルバイトをしながらフローを補塡するしかない人が増えている。

なぜそうなっているかといえば、そもそもは平均寿命の伸長とか、就労人口の減少とか、年金財政の悪化などが理由としてはあるが、要は国が社会保障を支えきれなくなっているからだ。

もともと歴史的に見れば、定年制度とは恩給制度と一体のものだった。

定年できることが、そもそも特典だったのだ。

定年退職とは一定年数勤続することで、恩給＝年金や退職金をもらえるようになる仕組みのことだった。転職する人も多かった時代に、一定期間以上働いてもらうための報奨の仕組みでもあった。最近流行りの人事用語でいえばロングタームインセンティブの一種だ。

そんな仕組みをすべての企業が導入できるわけもないので、大企業や官公庁を中心に導入されていった。後に中小企業にも広がったが、今なお、定年の仕組みは大企業ほど整備され、中小企業では整備されていないこともある。

そもそもの定年の仕組みとはどういうものなのか。一番基本的な定年の設計は退職金とセットだった。恩給なんだからもちろんそうだ。定年後10年は生活できる退職金を支払う。平均寿命はそれからプラス５年程度。

おおむね65歳が寿命だった時代に、定年の仕組みはつくられはじめた。

「雇用調整」になった定年制度

しかしやがて定年は、雇用調整としての機能をもつことになった。

定年が雇用調整の機能を持ち始めた最大の理由は、実は平均寿命が伸びたことにある。平均寿命が伸びたので、定年を伸ばしてほしいという要望が強くなったのだ。

そして、50歳定年が55歳になり60歳になってきた。

現在の平均寿命は83歳だから、恩給を支払う仕組みとして定年退職を理解するのなら、今や68歳が定年であってもおかしくはない。

また生活様式の変化も大きい。

60代のベテランはどれだけ能力が発揮できるか？

人間の能力の3つの山から考える

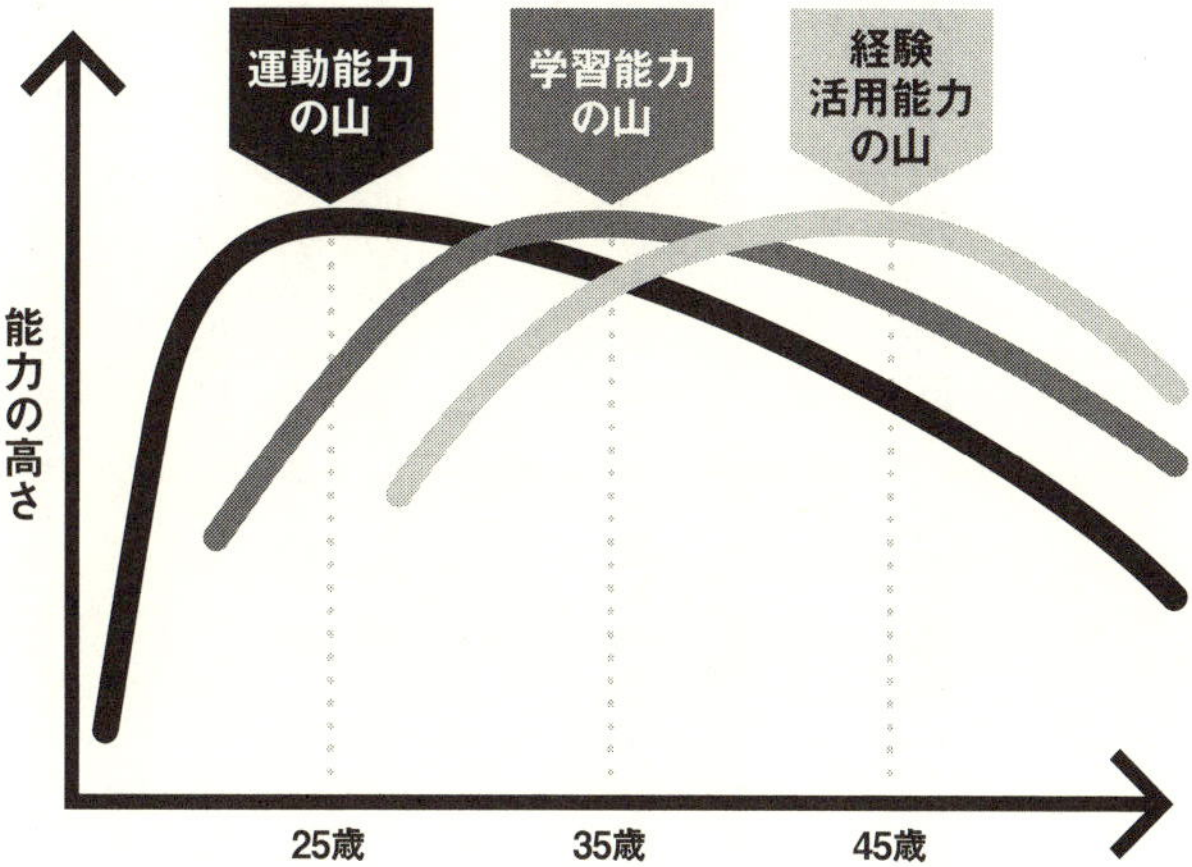

特に「団塊の世代」といわれる人たちは、体も気持ちも若々しく、その分だけ娯楽を含めた生活費用がかかる。一昔前の60代とはまったく異なるのだ。

家族構成の変化も重要だ。

かつては多くの老人たちが、子どもからの仕送りによって生活していた。しかし今では、子どもからの仕送りで生活している親よりも、逆に子どもを援助している老親が増えている。

では、68歳まで人はばりばりと働けるのか、というとどうだろう。

人間の能力は年齢に合わせて３つの山をつくると考えられる。

第1の山は25歳が頂点になる。この山は運動能力をあらわしている。

第2の山は35歳が頂点になる。この山は学習能力をあらわしている。

第3の山は45歳が頂点になる。この山は経験活用能力をあらわしている。

そして50歳で引退する。それがもともとの定年制だった。

定年しても能力のある人は別の職に就くことが普通だった。年齢を増したとしても、給与に見合った働きぶりができていれば、会社としては手放したくない。むしろ知識や経験があるので、働いてほしい。

そう思える人であることが定年の前提にある。

定年とは、働いていてほしい年齢の平均値でもあるのだ。

「定年は70歳、でも人生で一番の高収入は35歳時」という未来も

寿命が伸びたことと、それに伴い個人の能力差が開いてきたことを踏まえ、定年は廃止すべきだという考え方も強くなりつつある。

しかしそれは、終身雇用の否定にもなる、ということに多くの人は気づいていない。
会社に求められる人である限り、何歳まででも雇用する、ということが定年の廃止だ。
一方で、求められない人であれば、60歳や65歳を待たずに辞めてもらわないといけない。

定年を廃止する企業では、終身雇用を維持する意味がなくなってしまう。

また、定年を廃止すると、成長する個人、結果を出せる個人、スキルのある個人を会社に引き留めるための別の方策が必要になる。早い昇格や多額の賞与だけでなく、5年や10年刻みでの引き留め策を導入する必要も出てくるだろう。それは処遇の格差が広がっていくということでもある。

人事の仕組みのこれからはどうなるのか。

法律で定められた定年は、今後70歳にまで延長される可能性も高い。そうなれば、雇用は保障されるけれども、できる仕事に見合った分の給与しか受け取ることができなくなる。会社という終身雇用の村の中にいる限り、人生の中で35歳の時が一番年収が高かった、という時代がもう目の前に来ている。

また、定年ではない形での退職勧奨が増えるだろう。

一律の年齢ではなく、能力や経験や貢献度に応じた退職を増やさなければ、会社は存続できなくなるからだ。

昇進とプロフェッショナル化の本当の意義

第6章までで示した方法に基づいて第二のキャリアを設計しても、定年退職からは逃れることができない。会社の中で昇進していったとしても、やがて役職定年となり、60歳になれば定年を迎える。プロフェッショナルとしてのポジションを獲得しても同様だ。

仮に今後定年が延長されるとしても、本質的な人事の仕組みは変わらない。

取締役にまで出世すれば定年は66歳とか68歳になる会社もあるが、職務主義が広まれば、むしろ取締役こそ若くして会社の外に出なければいけなくなる。

40歳で取締役に抜擢された人は、10年後の50歳の時点で40歳の若手にポストを譲らなければいけなくなるかもしれない。そして、一度取締役になった人が従業員に戻る仕組みを持つ会社は決して多くはない。

そんな現実を踏まえて、この章で伝えたいのは、会社の中で昇進することや、プロフェッショナルとしてのポジションを獲得することの本当の意味だ。

それは、**「労働市場で価値ある人材になる」**ということだ。

ここまでに示した方法を用いて会社の中で昇進したり、プロフェッショナルとしてのポジションを獲得したりすることができていれば、転職や起業という選択肢を得やすくなるということだ。

第5章で人的資本という考え方を示した。

もともとの人的資本という概念は、学校教育の意味を問うために生まれた考え方だ。どこまでさかのぼるかといえば、なんと18世紀のアダム・スミスが使用した例にまで戻ることができる。資本という言い方からもわかるように、人を教育するためにお金や時間（それもお金に換算できるが）を投資することで、その人が持つ資本が増え、生み出す価値が増えると定義されていた。

この本で説明してきたキャリア設計の方法とは、この人的資本をいかに増やすか、ということに尽きる。人的資本を増やすために漠然とした教育や経験が重要というのではなく、本質に至る自分自身への問いかけ、価値を生み出すつながりの獲得、自己学習と経験による体得のサイクルなどの具体的方法を示した。

そうして自分自身の人的資本を増やすことで人生の選択肢が増える。

長い間日本企業では、最初に就職すればその会社で定年退職することが当たり前だった。人的資本を構成する専門性やつながりはすべて社内と取引先に限定されていた。だからこそ社内で上司に気に入られることが重要だったし、入社年次による上下関係、同期間の競争などが重要視されてきた。

経済学的には、内部労働市場という概念で説明できる。

一度会社に就職すると、その中で昇進し、転職（異動）し、自分の人的資本を高めていくということだ。そこで培われる人的資本は、社内限定のものだった。

しかし今は変化の時代だ。加えて、日本では人口減と高齢化が進んでいる。企業側が終身雇用をやめてしまいたいと願っている一方で、国は社会保障を企業に任せるしかない状況がある。社会保障を重視すれば企業は衰退し、企業側の収益性を重視すれば社会保障が崩壊しかねない。

国も企業も答えを出せず、どのような選択をすればよいか、誰も教えてくれない。だから、国も企業も、もはやあなたを守ってはくれない、と考えたほうがいい。

自己責任、というと冷たいようだが、守ってくれない以上は自分で立たざるを得ない。そのための武器が、自分自身の人的資本だ。

人的資本を積み上げた結果、会社の中で昇進したり、あるいはプロフェッショナルとしての生き方をはっきりさせたりすることができる。

それは昇進や、プロフェッショナルになるタイミングで終わりではない。

40歳から始まる第二のキャリアはやがて60歳で一度終わりを迎える。それからは第三のキャリアを築きあげなければいけない。

しかし人的資本を積み上げていけば、第三のキャリアに向けての準備もできるのだ。

誰もが必ず「社外に出る」ことになる

定年退職を待たずに退職をする人が増えている。その多くは転職のためだが、起業するために退職する人もいる。あるいは、さまざまな事情からやむにやまれず退職をする人が増えている。自らの疾病、両親の介護、子育てなど事情はさまざまだが、内部労働市場だけしかない状況では、彼ら・彼女らがキャリアを積み上げることは実質的に不可能だった。

第2章で示したような滞留年数の考え方で昇進判断するのであれば、一時的であったとしても休職はマイナスでしかない。

少子化を解消するためにワークライフバランスが叫ばれ、育児休職や介護休職の取得促進や、短時間勤務の促進が進められている。そのための給付金も支給される。しかし実はそんな取り組みをしたところで、会社の人事の仕組みがわかっている人は決して休職しない。もしそんなことをしたら、出世が遅くなるからだ。それも休職していた年数だけ遅れるのではない。1年の休職が3年から5年の遅れとしてのしかかってくる。

女性管理職が生まれにくいのも同じ理由だ。昇進判断基準において、連続した高い評価が求められるということは、出産して育児に時間をかけた女性を、その時期も会社で働いていた男性と同列に評価できないようにしているということにほかならない。

人事コンサルタントの立場としては、評価の連続性や休職取得期間の有無は昇進基準や評価基準から外すべきだと考えているし、そのための取り組みも進めている。職務主義が浸透していけば、どれだけブランクがあっても、働く時間が短くても、その仕事をするための資質を持ち、そのための行動ができ、成果を出すことができれば問題ないからだ。

とはいえ、残念ながらすべての企業がそうなるとは思えない。それは改革しない企業が悪い企業だ、ということではない。

仮に、滞留年数を昇進基準から外したとしよう。すると、今まで損をしていた優秀な女性の活躍機会は増えるだろう。その一方で、今まで得をしていた人たちが損をする。その女性よりも優秀ではないが、勤続を続けていた男性社員たちだ。彼らは相対的に見れば得をしていたが、そのこと自体が悪いわけではないのだ。結果として、組織としての和を重んじたり、終身雇用を重視したりする企業での人事改革は進まないだろうが、その選択を間違っていると断ずることは難しい。

過去の方法がよかったと考える人もまた多いのだから。

一方で、変化の時代だからこそ生まれているものがある。それが外部労働市場だ。市場としてはまだまだ発展途上だし、転職者が統計的に増えているわけでもない。

しかし有料職業紹介事業は拡大しているし、企業側での中途採用に向けた人事的取り組みも進んでいる。かつては年功処遇があたりまえだったために中途採用者の給与は低く抑えられがちだった。しかし今では、中途採用者と新卒者の間の処遇的な区分はなくなってきている。

起業という選択肢も、幅を持ちはじめている。

会社法の改正で法人設立の垣根はずいぶんと低くなっているから、とりあえず法人を立ち上げることも簡単だ。また、個人事業としての請負契約も多様性を増している。もちろん一定レベル以上に成功させることは起業以上に難しい要素もあるが、２０１２年から２０１３年にかけてノマドワークという単語も流行した。フリーランスで働くための場としてのシェアオフィスも拡大している。

重要なことは、それらの選択肢が適切かどうかということではない。

選択肢が増えているということが重要なのだ。

選択肢を使いこなすにはもちろん条件があるわけだが、その条件こそが、人的資本にほかならない。

いずれ誰もが社外に出ることになる。

その時に頼れるのは、自分が持つ人的資本だけだ。そして人的資本を高めるための取り組みは、組織の中にいるからこそ、効果的に行うことができる。

そうして自分のキャリアを自分の手に取り戻そう。

旧友や家族こそがセーフティネットとなる

キャリアを自分の手に取り戻すことはとてもアグレッシブで楽しい作業だ。

しかし、アグレッシブであることがつらくなることもある。

第二のキャリア、第三のキャリアを想像すると、不安になることもあるだろう。

そんな自分を救ってくれるものを探していこう。

人事制度を設計するとき、厳しい制度であるほど、セーフティネットを設けるようにしている。徹底した成果主義を導入したとき、それまでとあまりにも制度が変わるので、猶予期間を設けることが多かった。評価制度は変えるが、給与への反映は1年、あるいは2年遅らせる。その間に教育研修を徹底しながら、不安に対する相談窓口も設けてきた。高齢層に対してリストラを実施せざるを得ないとき、在籍状態で転職ができる期間を通常より長めにとるようにした。会社都合退職が一般的でない時代であっても、会社都合として即座に失業手当を受けられるようにした。

それらは十分な対策ではなかったかもしれないが、何もしないよりはましだった。他の会社の例では、過去にさかのぼって評価をやりなおしたり、自己都合で猶予期間もなしにリストラをするような話も聞いていたからだ。

あなたが第二のキャリアについて検討を始めるなら、あなた自身のセーフティネットを確保するようにしてほしい。

もっともわかりやすく効果的なセーフティネットは家族だ。場合によっては、家族が重荷である人もいるかもしれない。しかしそれでも、家族をセーフティネットにできるような対話をしていこう。

旧友もセーフティネットとして効果的だ。

第5章に示した、年収に関する俗説とちょうど逆で、生き方も働き方もまったく違う道を歩むようになった旧友ほど、へこんでいるときの心の助けになる。

誰かとつながることだ。

それは弱いつながりでかまわない。

キャリアに関係しなさそうな、そんなつながりがいい。

つながりこそが価値を生む。それはビジネスでも、人生でも同じだ。

最後に、人的資本についての本書での定義

最後に、本書で使ってきた用語についての補足をしておく。

まず人的資本という言葉だが、実は人的資本に構成要素の厳密な定義はない。人的資本とは「個々人に内在化された知識・技能・能力・諸属性で、個人的・社会的・経済的な幸福を増進するもの[20]」と定義されるが、計算方法は要は生涯賃金の現在価値だ。その現在価値を生み出すに至る諸条件として、学歴であるとか、獲得した資格とかを、その取得に要した金額を踏まえて説明しようという概念だ。

それはつまり、人的資本とはなんらかの投資によって増える、という考え方に基づくとい

うことだ。本書ではこれを、個人の視点に立ち、構成要素を定義した。

学生として受けてきた教育やビジネスの中で受けた研修もそうだが、ビジネスパーソンとして経験してきたさまざまな職務についても含めて定義した。そこではあえて金額的な価値に基づかず、ストーリーとしての説明性を重視した。通常、職務としての経験はＯＪＴとして整理することが多いが、個別の職務ごとに区分することで、得られたスキルという区分だけでなく、連続性やスキル間のつながりを確認できるようにしたことが、ストーリーとして説明できるようにしたということだ。

さらに本書では、つながりを人的資本に含めて説明してきた。強いつながりこそが個人として生み出す価値の源泉となり、弱いつながりがその価値を広めたりイノベートさせたりするものとして定義し、説明してきた。

しかし本来の人的資本には、社会関係資本は含まない。なぜなら、社会関係資本とは個人に属さず社会構造そのものを指すからだ[21]。概念としては、人的資本と社会関係資本はそれぞれ並列する。本書で人的資本に含めているつながりとは、社会関係資本の概念としていえば、「個人としての社会的信頼」にもとづき、かつ「お互いに良くも悪くもお返しをする（互酬性の規範）」前提で構築された「個人間のつながり」のみを表している。

本書でこのように定義した理由は、関係性の主体は個人であり、個人こそが関係性の所有者となりうると考えたためだ。もちろん、ＳＮＳに代表されるような社会関係資本そのものであるといえる存在もある。しかし、そこで参加者自体に関係性を活用する意識がなければ価値は生まれないし、その価値を享受するのは個人だ。まるで鶏卵のジレンマのようだが、本書では価値を享受するのが個人である、という観点から、社会関係資本としてのつながりを人的資本に含めて定義した。

本来の経済学としての用法とは異なるが、そのように理解してほしい。

20 ＯＥＣＤによる広義の定義（２０１１）

21 ジェームズ・Ｓ・コールマン（１９８８）「人的資本の形成における社会関係資本」『リーディングス　ネットワーク論』勁草書房、２００６

「良性だったんだよ。まったく私も運がいいね」

とても節制していたとは思えない体格のままで、扶桑がソファに深々と座っている。

金剛と加賀が呼ばれたのは部長室ではなく、もともと三笠常務が使っていた役員室だ。今は主《あるじ》がいないままなので、応接室代わりに使われていた。そこに病状に不安なしとして戻された扶桑がいろいろと社内調整をして、実質的な専用室として自分のものにしてしまっている状態だ。

「まあさすがにタバコはやめたけどね。アメリカはタバコを吸える場所がなくてね。禁煙するならアメリカに住むべきだな」

上機嫌で話す扶桑を前にしながら、加賀はあいかわらずＰＣを開いている。キーボードを触っているので隣から覗き込んでみると、メールをチェックしているようだ。たしかに、期末の忙しい時期だ。いつまでも無任所の部長の相手をしているわけにもいかない。

そう考えていると、扶桑の方から身を乗り出してきた。

「で、２人に来てもらったのは、いい話と残念な話がひとつずつあるからなんだ。

S C E N E 7

復帰した部長と真相

どちらから聞きたいかね」

思わず加賀と顔を見合わせた。

「……残念な話からでいいですよ」

加賀が答えると、扶桑が笑った。

「加賀くんらしいね。じゃあ、残念な話から言おう。とても、残念なんだけれど、今期の君たちの部長昇進の話はなくなった」

それが？

加賀が平然と扶桑を見つめる。

金剛の心も驚くほど動かなかった。それでも少しだけ、あわや、という気持ちがあったことは否めない。

しかしこの半年の間、金剛の気持ちと行動はずいぶんと変化していた。

振り返ってみれば、今までは自分の評価を高めるためだけに行動していたように思う。だから周囲が見えず、周りにどう思われているのかに気づいていなかった。扶桑が言うように、たしかに以前の自分がもし部長になっていたら、他の営業課長たちは誰も言うことを聞かなかっただろう。

取引先についても同様だ。細かい案件にもすべて顔を出し、無理な要求をし続けた。それが金剛の課の成績になっていたが、売り上げが上がった分だけ、クレームも多かった。

しかし、今ではすべてが順調にまわっている。

極論すれば、今、営業課から自分がいなくなったとしても、何も困らないのではないかと思えるくらいだ。

それには加賀の助けもあった。部長代理としての加賀の行動は、調整役に徹していた。組織として活動するときの情報の流れを正し、間違った行動を正し、一人ひとりの動機とモチベーションを高めていったのだ。

そういう意味では、加賀が部長になれない、というのは残念だと思う。

しかし、加賀はそんなことを気にしないだろう。それに、今期は、と扶桑は言った。であれば来期か再来期には、加賀が部長に昇進するだろう。それが会社のためでもある。加賀の下で働くことも悪くない。今はそう思えるようになった。

「なんだ、2人とも驚かないね。じゃあいい話には驚いてくれるかな」

加賀は、そんな言葉を聞いていないかのように、パソコンに何かを打ち込んで

S C E N E 7

復帰した部長と真相

いる。

　仕方ないので、「いい話ってなんですか」と金剛が口を開いた。

「この4月から、加賀くんは僕の代わりにアメリカに行ってもらうことになった。肩書きは部長代理のままだけれど、うまく結果を出せれば戻ってきて部長待遇も夢じゃない。そして金剛くんが加賀くんの代わりに、営業部長代理だ」

　金剛はあぜんとした。それは、まったく想定外だった。

　金剛のそんな様子を見ながら、扶桑が大喜びをした。

「ほらほら、今度は驚いたね。いいねいいねー。で、加賀くんは驚かない？」

「……知っていましたから」

「なんだよ、面白くない」

　金剛は思わず加賀の顔を見た。視線が合うと、加賀がにやりと笑った。

　動けないままの金剛の肩に扶桑が手を置いた。

「いい感じにこなれたね。まあ、僕を追い抜くことはまだ難しいだろうけどね」

　嫌味なのかどうかわからない扶桑の言葉だったが、金剛はただうなずいた。

「なんで知ってたんだよ」

加賀と2人になってから、金剛は不満を漏らした。昨日の営業会議の場でも、そんなそぶりはなかったし、そもそもなぜさっき顔を見合わせたのか。あれが演技だったとすればたいしたものだ。

「実は、知っていた、ってほどでもないんだけどさ」

会議の時と違って、ざっくばらんな口調になる。金剛はその先を促した。

「そもそも俺は、最初からその予定で部長代理に昇進していたんだよ。そのことについて隠してたのは悪かったけどさ、『残念な話』って聞いた瞬間に、約束だった海外転勤がなくなったのかなと思ってね」

加賀の言葉に金剛は動きを止めた。残念な話うんぬんではなく、『最初からその予定で部長代理に昇進していた』という言葉の意味を理解するのに、頭がフル回転して、体を動かすのを忘れてしまったからだ。

「な、え？　え？　え？？？」

「まあいいよ。お前は昇進の内示祝い。俺は海外転勤の内示祝い、ってことで霧島と赤城に声をかけろよ。その時説明してやるよ」

S　C　E　N　E　7

復帰した部長と真相

いつのまにか常連になってしまっている場末のスナックに、いつもの4人が集まった。あいかわらず赤城は無口で、霧島は茶化すようなことばかり話している。そういえばこいつの昇進話はまだ出ていないけれど、気にしていないんだろうか。金剛は少しだけ心配になったが、霧島は無頓着だった。

「俺はシステム屋だからさ。部長になるより、ソースコードをいじっていたいね」

「でも出世したくないわけじゃないだろ」

「俺の出世ってのは、お前らの考える出世とは違うよ。数年後を楽しみにしてな」

そう言ってにやにや笑う。いつも茶化してくるやつが何かを隠そうとしているのなら、その本音は見えづらい。仕方ない、数年待ってやるよ。4人で乾杯した。

「で、半年前の話だけどさ」

金剛が切り出すと加賀が驚くような裏事情を教えてくれた。

一連の人事の黒幕は、実は扶桑部長だったのだ。それは会社に対して背信行為をしながらも尻尾をつかませない三笠常務について、さまざまな証拠を集めることが目的だった。

「そりゃ社長と扶桑部長に呼び出されたときにはびっくりしたよ。まるで社内スパイみたいな仕事だからな。本当ならお前が、という話だったんだけど、当時のお前は常務に言われりゃ黒も白にしてしまうだろ。それじゃだめだ、ってことで、ちょうど地方で結果を出している俺に白羽の矢が立ったってわけさ」

「半年前の金剛だったら、むしろ積極的に片棒かついでたろ」

「うるせえよ」

茶化してくる霧島を睨みつけるが、うなずかざるを得ないからこそだ。当時の自分はたしかにそうだった。

「まあそれに、社長は正直お前のことをよく思ってなかったみたいだ。目先のことばかり気にして、上の顔色をうかがって、下には厳しくあたる。体格が目立つだけに、余計小物に見えてたみたいだぜ」

「ぐっ……」

返す言葉がなかった。霧島が追い打ちをかけてきたが、今度は睨みつけることもできず、ただグラスをあおってごまかした。

「ちょっとまてよ。じゃあ扶桑部長の病気ってのも」

S C E N E 7

復帰した部長と真相

「ああ、嘘だよ。実際にはちゃんとアメリカで仕事してたみたいだぜ。なんでもいくつかM&Aの話が来てるらしい。あの人、ああ見えて英語もできるし、はったりもきくしな」

なるほど。こうして裏事情を知ると、扶桑の言葉の意味がわかってきた。

役員候補としてアメリカ支社に転勤、は言葉通りだったわけだ。本当の目的がM&Aの下準備なら、買収がうまくいきさえすれば出世の条件にもなるだろう。

それに『これからも世話になるだろうから』という言葉も、言葉通りだったのだ。そして『これから話すことは私からのたむけでもある。チャンス、と言い換えてもいい』という言葉すらも、本当だったわけだ。

「扶桑さんのあとをひきついでの具体的M&Aプロジェクトでは、俺が実行部隊になる。得難い経験だよ。今度は実力でお前よりも早く出世しちゃうかもな」

「ふざけんなよ。今度はそう簡単にはいかないぜ」

それもありかもしれない、とは思ったが、あえて憎まれ口で答えた。

そんな金剛のグラスに、なみなみとウィスキーがつがれた。ボトルを持っているのは赤城だった。

おわりに――「あしたの人事の話をしよう」

この本で書きたかったことの本質は、「選ばれる」ルールが変わるタイミングがあるということだ。「使われる側」から「使う側」への変化が一番わかりやすいが、「組織の中で生きる」ことから「自分が作ったルールの中で生きる」立場への変化でもそうだ。それは従業員から経営者になるタイミング、独立して起業するタイミング、ワークライフバランスを重視する生き方を選んだりするタイミングなどだ。

選ばれるルールの変化、とは、互いに選びあう立場になる、ということでもある。

それは競争から協奏への変化だ。

競争相手から協奏相手に変わる。

もちろんそこでふさわしさを見定められはするが、一方的に選ばれる立場ではなくなる。協奏相手に選びあうためには、互いに一定の水準が求められる。そこに至るまでに淘汰されてきている必要がある。そのためにはやはり競争のルールが必要だ。

一方で、同じことができる人だけが集まっても協奏にはならない。違うこと、が何よりも求められる。モザイクをイメージさせるダイバーシティという言葉はまさに適切なのだけれど、近年の人事の世界で言われるダイバーシティとは、同質性を前提とした言葉に過ぎない。「使う側」が「使われる側」に対して示す、許しの概念が今のダイバーシティだ。

同質ではないことが前提の多様性こそが協奏に求められる。

そして、協奏によってそこに価値が生まれる。それは企業の人事の世界にとどまらず、すべての人のつながりにおける普遍的な事実ではないだろうか。つながっていなかった人たちがつながることによって、価値が生まれるのだから。

余談だが、企業の人事評価制度を設計したり、教育研修を実施したりする私の会社の名前は、セレクションアンドバリエーションという。淘汰と多様性という意味だ。企業におけるさらなる価値は、新しい淘汰と多様性の仕組みから生まれる。経営層や従業員一人一人が活躍し、多くの人たちと互いにつながる中でこそ生まれる。

協奏を生み出すあしたの人事の姿もそこにあるだろう。

平康慶浩

データダウンロードのご案内

本書で紹介した「人的資本棚卸しシート」は、セレクションアンドバリエーション株式会社のホームページから、無償でダウンロードすることができます。ファイルはｘｌｓｘ形式で作成されています。

パスワードを入力の上でご活用ください。

なお、当シートを組織的に活用される場合には、セレクションアンドバリエーション株式会社代表メールアドレスまでご一報いただければ幸いです。

URL：http://www.sele-vari.co.jp/download
Password：humancapital
セレクションアンドバリエーション代表アドレス
：info@sele-vari.co.jp

平康慶浩　ひらやす・よしひろ

人事コンサルタント。1969年大阪生まれ。早稲田大学大学院ファイナンス研究科MBA取得。アクセンチュア、日本総合研究所を経て、2012年よりセレクションアンドバリエーション株式会社代表取締役就任。大企業から中小企業まで130社以上の人事評価制度改革に携わる。大阪市特別参与（人事）。著書に『7日で作る新・人事考課』、『うっかり一生年収300万円の会社に入ってしまった君へ』がある。

日経プレミアシリーズ｜265

出世《しゅっせ》する人《ひと》は人事《じんじ》評価《ひょうか》を気《き》にしない

二〇一四年十月　八　日　一刷
二〇一四年十月二十七日　三刷

著者　平康慶浩
発行者　斎藤修一
発行所　日本経済新聞出版社
http://www.nikkeibook.com/
東京都千代田区大手町一―三―七　〒一〇〇―八〇六六
電話（〇三）三二七〇―〇二五一（代）

装幀　ベターデイズ
印刷・製本　凸版印刷株式会社

ISBN 978-4-532-26265-5　Printed in Japan

日経プレミアシリーズ122

人事部は見ている。

楠木新

人事評価や異動は、実務ベースではどう決まっているのか――。一般社員がなかなか知ることのできない「会社人事のメカニズム」「人事部の本当の仕事」などを、大手企業で人事に携わった著者が、自身の経験と人事担当者への取材をもとに包み隠さず書き尽くす。

日経プレミアシリーズ008

人事と出世の方程式

永井　隆

激変するビジネス環境のもと、日本企業の人事政策が大きく動く。グローバル化、女性の社会進出、成果主義……。多くの企業や会社員を取材し、会社の公式見解だけでは分からない「人事の裏側」を徹底ルポ。

日経プレミアシリーズ152

会社人生は「評判」で決まる

相原孝夫

ある企業の無役職の社員について人事部いわく、「あの人は、評価はともかく、評判が……」。組織内における「評判」とは何か、どう作用するのか、高め、維持するにはどうすべきか。多くの企業人事を見てきたコンサルタントが具体例を踏まえ、わかりやすく解説する。